アメリカ人の4人に1人はトランプが大統領だと信じている

町山智浩
Tomohiro Machiyama

文藝春秋

What Mad America!

まえがき――なぜ彼らは今までもこれからも、トランプを信じ続けるのか？

アメリカから毎週の出来事をレポートした週刊文春の連載『言霊ＵＳＡ』、２０２０年夏からの１年分をまとめた一冊です。この1年間はアメリカ建国史上、最もどうかしていた1年かもしれません。なにしろ、大統領が選挙での敗北を認めなかったのはドナルド・トランプが初めてですから。

２０２１年8月13日の金曜日、そのトランプがジョー・バイデン現大統領をホワイトハウスから引きずり出す！　そう期待していた人々がアメリカにいました。

「選挙に勝ったのは本当はトランプだ。それが単純な事実だ、いいか！」

保守系ポッドキャストでそう叫んだのはマイク・リンデル、安眠枕で財を成した大富豪で、トランプ前大統領の熱烈な支持者です。

「8月13日の朝、世界は驚くだろう。去年の選挙の結果を取り消せ！　国を乗っ取った共産主義者どもを追い出すんだ！」

なぜ8月13日なのか、特に説明はありません。でもトランピストたち、特にＱアノンと呼ばれる人々は熱狂しました。Qアノンは陰謀論者。彼らは、民主党はディープステートという「闇の国家」の手先で、悪魔崇拝の儀式のために幼児を生贄にしているといいます。コロナ・ワクチンには人間を操るナノマシン（超微細装置）が仕込まれているとも。そして、トランプこそは悪魔と戦う神の使いで、選挙ではバイデンに票を盗まれたと主張するのです。彼らにとって本当の大統領は今もトランプなのです。

8月13日には何も起こりませんでした。トランピストたちにとってそれは初めてのことではありません。まず2020年11月4日の大統領選挙後、トランプの弁護士は接戦で負けた各州に対し不正があると訴え、それぞれの州は莫大な費用をかけて票を数え直しました。トランピストたちはこれで結果がひっくり返ると信じていました。

何も起こりませんでした。ジョージア州では2回も手作業で数え直したのに。

次に1月6日、大統領選挙の結果が連邦議会で認定される日。トランプは数千人の支持者をホワイトハウス前に集めて、「議会に行け！」と叫びました。支持者たちは議会に乱入しました。警備の警官を殺害して。彼らは許されると思っていました。トランプが大統領になり、自分たちは英雄になるのだから。

彼らは逮捕され、連邦犯罪に問われています。

さらに1月20日の大統領就任式。トランピストたちは「ストーム（嵐）」が来ると信じていました。軍隊がクーデターを起こしてバイデンを逮捕してトランプを大統領にすると。

何も起こりませんでした。

その次は3月4日。1933年に憲法改正されるまでは、その日が大統領就任式でした。今日こそトランプが就任するのだ、そうトランピストたちは叫びました。

何も起こりませんでした。

これだけ裏切られても彼らはトランプを信じ続けています。そもそも彼らが信じる「選挙の不正」は、トランプが投票日前に「私が負けるはずないから、負けたら不正のはずだ」と言っていたことから始まっています。まさに言いがかりでしかありません。

選挙前から世論調査ではトランプの支持率はずっとバイデンを下回っており、投票ではそのままの結果が出ました。最初から一貫してトランプの票は少なかったんです。そういう理屈がトランプ支持者にはまるで通じません。これはもはや宗教です。宗教に根拠はいらないから。

困ったことに、トランプ教の信者は多いんです。

選挙から半年経った5月24日にロイターが発表した世論調査によると、アメリカ人の25%が大統領選挙には不正があったと信じています。何の不正も発見されていないにもかかわらず、4人に1人がトランプが勝利者だと考えているわけです。選挙制度が、トランプの根拠なき言いがかりで揺るがされています。

そんなトランプに、共和党は立ち向かいません。

8月4日にヤフーが発表した調査では、共和党支持者の66%が本当の大統領はトランプだと信じています。依然として、共和党で最大の支持者を持つ存在です。共和党員はトランプに逆らうと票を失います。

だから議会襲撃の責任を問う弾劾裁判でも共和党は挙党一致で反対しました。有罪に投票した数少ない共和党議員リズ・チェイニーは党幹部を解任されました。もう、党内でトランプ批判は許されないのです。

トランプは2016年の大統領選に出馬するまで一度も共和党だったことはありません。彼のポリシーも共和党の党是と一致しません。だからトランプが予備選に出馬してきた時、共和党は必死で彼を潰そうとしましたが、逆にトランプに党を乗っ取られてしまいました。今の共和党は「トランプ党」です。

いっぽう、バイデン大統領の支持率は急落しています。

バイデンは就任以来、50%以上の支持率を維持してきました。8月13日の金曜日、ロイターの世論調査では53%がバイデンの仕事ぶりを評価していました。それが、週明けの17日火曜日には46%にダウンしました。その間に何があったのでしょう。

8月15日、アフガニスタン全土がイスラム武装勢力タリバンの手に落ちたのです。20年間、24万の犠牲者を出し、3兆ドルを投じたアフガン戦争はアメリカの敗北に終わりました。バイデン大統領は4月末に米軍の撤収を開始、8月頭に最初の都市が陥落すると、1カ月かからずに首都カブールは陥落しました。米軍に訓練され、装備を与えられたアフガン政府軍30万人はタリバンにほとんど抵抗しませんでした。

バイデンは米軍撤収について、「自国を守るために戦おうとしないアフガンの人々のために、米兵が命を落とすべきではない」と正当化しました。それは「アメリカ・ファースト（アメリカ第一）」を掲げるトランプならいいですが、同盟国との結束を強めると言っていたバイデンが言ってはいけないセリフでした。

ただ、撤収を決めたのはバイデンではなくトランプです。トランプ政権は２０２０年にタリバンと交渉して、２０２１年5月から米軍を撤退させると合意しました。バイデンはそれを実行しただけです。要するに彼はアフガン戦争の尻拭いという貧乏くじを引かされたのです。

それにバイデンが最も力を入れてきたコロナ対策も行き詰まってきました。

トランプ政権はヨーロッパからの入国規制が遅れて、ニューヨークにコロナウイルスを引き入れてしまいました。さらにトランプはロックダウンに消極的で、マスクを嫌って義務化しなかったので、抑え込みに失敗し、世界最多の感染者を出しました。

バイデンは就任から破竹の勢いでワクチン接種を進めました。5月いっぱいまでで全人口の5割が少なくとも1回の接種、4割が2回接種を受けることができました。

ところがその後、接種率は伸びませんでした。8月になっても接種を2回受けた国民は6割しかいません。トランプは7月17日にバイデンのワクチン接種の遅れを揶揄しました。

「ワクチン接種を拒否してる人々が多いからだ。なぜなら、彼らはバイデン政権を信じていない、選挙の結果を信じていないからだ」

選挙デマを拡げて政府への信頼を貶めたのはトランプ自身なのに。それが実際、ワクチンへの不信感とつながっています。フィナンシャル・タイムズ（7月20日付）によれば、大統領選でのトランプの得票率が高い州ほど、ワクチン拒否者の率も高くなります。そしてコロナ感染者数も増加します。

CDC（米国疾病予防管理センター）によると、8月17日時点で、人口あたりの感染者数が最も多い州はミシシッピ、ルイジアナ、アーカンソー、テネシーなどの南部州です。どこも大統領選挙でトランプが大差で勝利しています。それらの州はワクチン接種率も全米で最も低いです（ミシシッピ36%、ルイジアナ39%、アーカンソー39%、テネシー40%）。トランプ支持とワクチン拒否はリンクしているのです。

現在、アメリカのコロナ感染による死者は再び増えています。その99%は1回もワクチンを受けていない人々です。でも、未接種者が全人口の4割もいるので、収束にはまだほど遠いと言わざるを得ません。

死者が増えれば、経済の立て直しもまたスローダウンし、バイデンの支持率もさらに下がるでしょう。

コロナの死者数はトランプの任期の終わりまでに45万人を超えましたが、引き継いだバイデンが泥をかぶらされています。コロナ対策をめぐってトランプと戦ったニューヨーク州のアンドリュー・クオモ州知事もその後、セクハラで辞任に追い込まれ、民主党は失点が続いています。

トランプのほうは、2024年の大統領選挙に向けて、着実に捲土重来の準備を固めています。支持者の熱狂度だけでなく、彼が大統領選から現在までに集めた寄付の額は1億ドル（約100億円）を超えます。このままではトランプが次期大統領選で共和党の候補として民主党に挑戦するでしょう。

コロナの死者数は現在、63万人で、米国史上最大の悲劇だった南北戦争の戦死者数を超えてしまいました。これほどの犠牲者を出し、議会制民主主義を文字通り踏みにじった大統領が再選されるかもしれないなんて……。

（2021・8・20）

CONTENTS

表紙・本文イラスト
澤井健
装丁・本文デザイン◉征矢武
DTP◉朝日メディアインターナショナル

[初出]
「町山智浩の言霊USA」
週刊文春 2020年8月6日号～2021年7月22日号

近づく大統領選 支持率低迷のトランプがバイデン中傷CM

2020年8月6日号

アメリカでは8月に入ってコロナ第二波が来て、一日の新規感染者数は7万人超え。筆者が住むカリフォルニア州はニューサム知事が3月に全米で最も早く外出禁止を始め、感染を抑えてきたが、6月に少しずつレストランやヘアサロンをオープンしたら、すぐに感染が爆発、7月14日の新規感染者は1万人を超え、またロックダウンになった。州知事の人気ガタ落ち。

いっぽう全米で最多の死者を出したニューヨーク州ではその後、徹底的な検査で抑えきり、日々の感染者数も600前後に減少。逆に感染のひどい31州からの入州を制限した。カリフォルニアも入ってるけど、それ以外はテキサス、フロリダ、アリゾナなど、州知事が共和党の州ばかり。外出禁止が緩く、トランプ大統領の要請に従って、早めにビジネスを再開しちゃったからだ。

南部ジョージア州も感染が増えて、州都アトランタではマスク着用を市長が義務付けた。するとジョージア州知事ブライアン・ケンプ（共和党）が「マスク義務付けは自由の侵害だ」とアトランタ市長を訴えた。どうかしてるよ。

マスクつけない派の大親分、トランプは、ついにマスクをつけた。これだけ感染が増えたらつけるしかないよね。

トランプは6月にオクラホマ州タルサで支持者集会を強行したが、誰もマスクつけてなかったので感染爆発。演説したトランプ・ジュニアの婚約者と、列席したオクラホマ州知事まで陽性になった。

でも、なぜかトランプ本人は感染しない。よほど運がいいとしか思えない。

運がいいといえば、株価がなぜか絶好調。3月には史上最大規模の大暴落をしたが、その後、ガンガン上昇して、今の平均株価は史上最高額。歴史上、株価が上がってる時に再選されなかった大統領はほとんどいないので、そのジンクスを信じるなら、このまま株価が上がり続ければ、トランプの勝利！

ところが、7月15日に発表されたウォールストリート・ジャーナル紙とNBCニュースの合同世論調査でのトランプの支持率は40％。民主党のジョー・バイデン候補は51％で、11ポイントも差をつけられた。

トランプ、負けじゃん！

ジンクスが外れそうなのは、今の株価が昔ほど経済の実態を反映していないからだ。すべての株式の84％は上位10％の富裕層に独占されている。彼らがマネーゲームで株価を吊り上げている間、デパートやレストランやアパレルや観光、娯楽産業は休業と倒産で、現在の失業率11・1％。130万人が職を求めている。Ｐｅｗリサーチ・センターの調査では国民の71％が現状に「怒り」を感じ、87％が「不満」だと答えた。

しかし、コロナで苦しんでいる業界が金融市場全体に占める割合は小さい。たとえばアメリカ映画の4割を生産するディズニーの株価は現在120ドル前後、世界的ホテル・チェーンのヒルトンも80ドル。これに対して、コロナ後も上がり続けているグーグルの株価は1500ドル、アマゾンは3千ドルで、桁が違うのだ。

☆　バイデン中傷CMの嘘　☆

だが、トランプを支持していた激戦州の白人労働者たちはもちろん株で儲ける富裕層じゃない。このコロナに苦しんで、トランプに背を向けるだろう。なにしろ彼らの多くは8年前にはオバマ&バイデンに投票していたんだから。そこで、トランプは激戦州で大量のバイデン中傷ＣＭを放送している。

たとえば「バイデンのアメリカ」というＣＭでは、警官による黒人殺害で起こった抗議デモから始まった暴動や略奪のニュース映像が流れ、警察を呼んでも来ない。「バイデンは警察予算の削減に賛成です。

バイデンは副大統領で!
役職が
逆だったらもっといい
最近ヘアスタイルが欧陽菲菲みたいになったミシェル・オバマ
ヒラリーもそうだったけど心身ともに旦那より強そう。

バイデンのアメリカに安全はありません」と文字が出る。

　バイデンに政権取らせたらこんなことになりますよ、と脅しているわけだが、引用されたニュース映像はどれも今、トランプ政権で起こってることじゃん!

　それに、バイデンは民主党の議員たちが提出した警察予算の削減に反対してる。トランプ翼賛テレビのFOXニュースにまで「このCMは嘘です」と指摘されてしまった。

　ただ、トランプが嫌われているだけで、バイデン自身の人気はない。まともな政治への回帰を訴えるだけで、政策に革新性がなく、セクハラ疑惑もあるので、若者や女性やマイノリティや無党派層の支持が弱い。それを取り込むには、副大統領を若い非白人の女性にするしかない。ミシェル・オバマさんなら当確なんだけど……。

てなこと書いてたら、週末に株価が大暴落。やはり失業者が多すぎた。ユナイテッド航空は3万6千、アメリカン航空は2万5千人をレイオフせざるを得ないという。

それでも、トランプには勝機がある。まずコロナのワクチンが完成すること。今、いくつもの候補を治験中だが、夏の終わりには3億人分の製造を開始したいとのこと。

次に国民一律でまた現金を給付すること。5月に1200ドル届いた時のトランプ支持率は大統領就任以来最高の49%だったんだから。また、失業者には3月からずっと毎週600ドルずつ補助金が支給されていたが、それも7月25日には終了するから、そちらも第二弾が必要。

そのいっぽうで、フロリダではディズニー・ワールドがリオープンした。フロリダ、医療崩壊してるのに。GoToか?

ポートランドの闇に蠢くトランプの秘密警察

2020年8月13日・20日号

「Don't get in trouble（トラブルに巻き込まれないでね）」

出かける息子にアメリカのママがよく言う言葉。「いい子にしてるのよ」的なニュアンスだ。

逆に「トラブルに身を投じなさい」と言ったのは、7月17日に80歳で亡くなった連邦下院議員ジョン・ルイスだ。「いいトラブル。必要なトラブルにね」

ルイスは1940年、人種隔離が続く南部アラバマで黒人の小作人の家に生まれた。1955年、アラバマ州都モンゴメリー市のバスが白人席と黒人席に分けられていたことに抗議して、キング牧師がバス・ボイコットを指揮した。これでバスの人種隔離を撤廃させるのを見た当時15歳のルイスは公民権運動に目覚めた。

大学に進んだルイスは「シットイン」を組織した。黒人だけで白人専用レストランに入り、カウンターに座る運動で、ルイスたちは白人から、つばをかけられ、罵倒され、殴られても耐え続けた。

1961年、ルイスは「フリーダム・ライダー」に参加した。黒人と白人の若者13人で長距離バスに乗って南部を旅しながら人種隔離に抗議したのだ。アラバマに入ると、白人至上主義団体KKKが火炎瓶をバスに投げ込んでルイスたちを殺そうとした。バスは丸焼けになったが、ルイスたちは逃げ延びた。だが、モンゴメリーに入ると、待ち構えていた警察と結託した白人暴徒がバットで殴りかかってきた。ルイスも負傷したが旅をやめなかった。

1965年、ルイスは黒人の選挙権を求めてモンゴメリーを目指す行進の先頭に立った。警官隊が催涙ガスと騎馬で襲いかかった。ルイスが警棒で殴られる瞬間がテレビで全世界に報道された。彼は体を張って、権力の暴力を世界に示し、選挙権を勝ち取った。

1987年に下院議員になり、様々な手段で非白人の投票を制限しようとする共和党と戦い続けた。しかし、彼が歩んできた道を知らない男がいた。

2016年、大統領に選ばれたドナルド・トランプはルイスのことを「口ばっかりで行動が伴わない政治家だね」と揶揄した。そんなトランプだから、ルイスの死に際して「公民権運動の英雄ジョン・ルイスが亡くなったと聞いて悲しい」とツイートしても全然本気に思えない。なにしろトランプは今、ルイスに

いざとなったら突撃隊(SA)も粛清すればいい
え？
そしてゲシュタポが登場する…と。

唾をかけるようなことをしているのだ。ブラック・ライヴズ・マター（BLM。黒人の命も大切だ）運動に対する弾圧である。

5月末に始まった警官による黒人殺害への抗議デモはいまも全米各地で続いており、特にオレゴン州ポートランドでは毎晩、デモ隊と市警が激しく衝突している。そこに7月半ば、謎の武装警官が現れた。

彼らは迷彩の戦闘服を着て、どこにも所属組織の認識票はなく、ただ防護具に「ポリス」とだけ書かれていた。無言でデモ参加者を一人ずつ拘束し、謎の黒いバンに乗せてどこかに走り去った。その不気味な光景はスマホで撮影されて拡散されたが、まるっきり軍事独裁国家の秘密警察のやり方だった。

「私が派遣したんだ」

7月20日、トランプは認めた。謎の武装警察の正体は、DHS（国土安全保障省）のCBP（税関国境取締局）職員、連邦保安官などだった。ややこしいので仮に「トランプ隊」と呼ぼう。トランプが彼らを使ったのは、6月に連邦軍や州兵を使ってデモを鎮圧しようとした時、「軍は国民に銃を向けるべきではない」と、軍人やエスパー国防長官からも批難されたから、代わりに軍隊に似た連邦警察をかき集めたのだ。

☆ トランプの秘密警察の仕事ぶり ☆

「デモ隊大勢捕まえて、ムショにぶち込んだ。問題ない。奴らはアナキストで、反米なんだから」とトランプは言うが、問題ないか？

まず、トランプ隊は身分を明かさず、権利も読み上げずにデモ隊を拘束しており、法で定められた逮捕のルールを破っている。また、無抵抗の人々に暴力を振るっている。服に赤十字をつけてデモ隊を助けていた救急ボランティアが殴られ、デモ隊の一人がスピーカーを頭上に掲げていたら、ゴム弾で額を撃たれ、頭蓋骨に裂傷を負った。

何よりも、トランプ隊は、地元のポートランド市に無断で行動している。これは市の自治権の侵害だ。

ＤＨＳは連邦政府のビルの警護だと釈明しているが、ビルから離れた路上でデモ隊を殴っている。さっそく、オレゴン州の司法長官がＤＨＳを訴えた。

「素晴らしい仕事ぶりだ」トランプは自分の秘密警察を絶賛したが、実は逆効果だった。

翌21日の夜、ポートランドのデモはかつてないほど膨れ上がった。先頭には普通のデモではめったに見かけない中年女性たち。トラブルに身を投じに来たママさんたちだ。

彼女たちは「子どもたちがトランプの秘密警察に殴られているのに黙って家にいるわけにはいきません」という呼びかけで集まり、横に並んでスクラムを組んで「ママの壁」を作って行進した。催涙ガスやペッパースプレーを吹きかけられても母たちはひるまず、見事にトランプ隊を撤退させた。

さらに翌日には、ポートランド市長テッド・ウィーラーがデモに参加し、トランプ隊の催涙ガスの洗礼を受けた。「本当に苦しかった」とガス体験を語るウィーラーだが「私は怯えてない。怒っている」と語った。「彼らは憲法違反だ」。市長の了解なく治安部隊を送り込むなんて。

「デモ隊に甘い民主党の市長たちが悪い」と言うトランプは、ポートランドと同じようにデモが続くシカゴやニューヨーク、オークランドにもトランプ隊を派遣する方針。それってジョン・ルイスたちの公民権運動を潰そうとしたアラバマ警察と同じじゃないか？　香港やウイグルを力で押さえつけようとしている中国政府と同じじゃないか？

マスクもコロナも信じないトランプ支持の陰謀論者

2020年8月27日号

コロナの死者が15万人に達しようとしている7月27日、トランプ大統領があるビデオをリツイートした。

そのビデオは、フロントライン・ドクターズ（最前線の医者たち）と名乗る白衣を着た6人ほどの男女が首都ワシントンを訪れ、「コロナウイルスには治療薬があります！」と訴える内容だった。

「ヒドロキシクロロキンです」

マラリアの薬だが、コロナ対策のリーダー、アンソニー・ファウチ氏とFDA（連邦食品医薬品局）は試験の結果、コロナにはまったく効き目がないうえに副作用があるとして承認を取り消した。

「ファウチは間違っています。この薬を承認しないのはユダヤ人を殺したナチと同じです」と無茶苦茶なことを言うのはステラ・イマニュエルという黒人の女性医師。「私はそれで350人のコロナ患者を救いました」と断言する。「もう恐れる必要はありません。マスクも必要ないのです」

そういえば彼らは誰もマスクをしていない。

「アメリカはすぐにビジネスを再開すべきです」

これは非常に危険なプロパガンダだ、ツイッター社はそう判断してツイートを削除した。しかし大統領が拡散したため、すでに8400万人が観てしまった。

「(ヒドロキシクロロキンは)有効だと思うんだがな」

翌28日の記者会見でトランプは例のビデオに賛同した。

「私がいいと言うと拒否される。でも、ファウチが言うと認められる。みんな私が嫌いなんだ。きっとこの人格のせいだ。それだけだ」

人格が問題なのは間違ってないけど、トランプは「コロナを治すには紫外線や消毒液を体に入れたらどうか」なんてことを言ってるから信用されないんだよ。

このビデオの「フロントライン・ドクターズ」は謎の団体だ。10日前に公式サイトができたばかりで、トランプがリツイートした翌7月28日には消滅した。団体名からしてコロナと実際に戦ってきた救命医たちのようだが、USAトゥデイ紙が調べたところ、メンバーはコロナと無関係な眼科医や小児科医だった。

「あのビデオでいいこと言ってる女性の医師がいたな」トランプはステラ・イマニュエル医師に言及した。

「彼女の意見は大事だ。全然知らない人だけどな」

　適当すぎ！

　イマニュエルの「350人を治療した」の事実関係は確認できないが、ニュース・サイト「デイリー・ビースト」が彼女の著書を発見した。その本でイマニュエルはこんなことを書いていた。

「子宮内膜症や流産の原因は夢の中で悪魔とセックスしたからです」

　彼女はキリスト教原理主義の牧師でもあった。

「アメリカの支配階級には、地球人のフリをした爬虫類系の異星人が潜入していて、彼らは医薬品に自分たちのDNAを混入させて地球人を爬虫類にしようとしているんです」

　どこが「大事な意見」？

　この爬虫類人説は、1998年にデーヴィッド・アイクという男が『最大の秘密』という本に書いたことで、マドンナは爬虫類人だそうだが、なんとアメリカ人の4％（1200万人！）はこれを信じている。

　トランプ支持者にはQアノン信者が多い。QというAnon（匿名）のネット投稿から始まった陰謀論で、アメリカはディープステートという闇の権力に支配されており、政財界には小児性愛者のネットワークがあり、ワシントンのピザ屋で子どもを誘拐して売買しているという。12世紀のヨーロッパでユダヤ人が幼児をさらって生贄にしているという噂が流れ、ユダヤ人迫害が起こったが、その現代版だ。

ちなみに、爬虫類人と名指しされたマドンナ(62歳)もトランプと同様の動画投稿でInstagram社から警告済み。

彼女は私のヒーロー!…

ステラ・イマニュエル
マスクはいらない!

世界一有名なオジイチャンとオバアチャン(しかも対立関係)が同じ偽情報をまき散らすSNSの闇側面…


ただQアノンは、それと戦う正義の戦士はトランプだという。2016年にはQアノン信者が銃でワシントンのピザ屋を襲う事件が発生、2019年にはシアトルの信者が自分の弟が爬虫類人だと思って、刀でその首を切断した。

かように危険なので、ツイッター社は信者7千人分のアカウントを凍結した。

☆ 陰謀論を広げる政権 ☆

アメリカ人だけがバカなわけじゃない。ヨーロッパでは、コロナウイルスは携帯電話用の5Gの電波で人体に作られるという陰謀論の信者が多く、5Gの基地局を放火している。昔からある「電波妄想」の変形だ。

これとビル&メリンダ・ゲイツ財団がパンデミックの研究に多額の資金提供をしている事実が混じり合った陰謀論もある。ビル・ゲイツが5Gの携帯でコロナを流行させ、ワクチンと称して超小型マイクロ・チップを体内に埋め込んで、人間を操ろうとしているという。

トランプ政権自体、陰謀論を広げてきた。バー司法長官は「ブラック・ライヴズ・マターのデモは極左団体が組織的に煽動した」と言った（司法省に否定された）。ポンペオ国務長官は「コロナは中国のウイルス研究所が発生源だ。証拠がある」と言った（で、その証拠は？）。

エコノミスト誌の調査ではアメリカ人の49％はコロナは人為的に作られたものだと信じ、13％はコロナは存在しないと思っている。

テキサス州ダラスのトランプ支持者トニー・グリーンもコロナは嘘だと信じていた。それを証明するため、6月13日、自分とゲイのパートナーの親戚を集めてマスクなしで3密のパーティをした。するとグリーンを含めて14人が発症。パートナーの母親は亡くなった。

トランプはもっと規模がデカい。6月20日、オクラホマ州タルサで支持者集会を、地元の反対を押し切って敢行。6千人の大半がマスクなしで集まったら、やっぱり爆発的に感染。演説したトランプ・ジュニアの恋人と、かつて大統領選の候補指名争いに参加したハーマン・ケインが発症。ケインは7月30日に亡くなった。これ、トランプのせいだよね？

郵便投票は絶対認めん！ 投票率上がるからな！

2020年9月3日号

トランプ大統領の発言がメチャクチャになってきた。いつものことだが、ここんとこは特にひどい。

7月31日、連邦議会のコロナ対策委員会で、ホワイトハウスのコロナ対策の最高顧問であるアンソニー・ファウチ博士の公聴会があった。アメリカのコロナ感染者が400万人を超えて増える一方で収束の兆しが見えない事態について、なぜヨーロッパのように抑えられないのか？　質問されたファウチ博士は答えた。

「ヨーロッパではロックダウンを実行した際、95％以上ビジネスを停止しましたが、我々は50％程度だったからです」

これにトランプはツイッターで反論した。

「アメリカは世界一検査してるから感染者が多いのだ！」

検査のせいじゃない。アメリカの死者は16万に近づき、人口あたりの死亡率は最悪と言われたベルギーや英国、イタリアやスペインに迫る勢いなのだから。

8月3日、ケーブルTVのHBOが、ジョナサン・スワンによるトランプ大統領のインタビューを放送したが、これがまあ実にひどかった。

「毎日、約千人ずつコロナで死んでいますが」と言われたトランプ大統領は他人事のように「死んでるね」と答えた。

「でも私は可能な限りコントロールしている」

インタビュアーのジョナサン・スワンはここからガンガン突っ込んでいく。

「アメリカの人口に対する死者の数は他の国と比べると多いですよ」

「比べちゃいかん」

「なんでいけないんですか？」

「感染者数に対する死者の数にしてくれ」

スワン、トランプの願いを無視して「たとえば韓国では人口5100万人で300人しか死んでません」

「さあ、どうだかな」

消毒液発言のトランプにまさかのライバル出現
これでうがいをすれば効くんです!
全国放送でPCR検査のすり抜けかたを伝授

「他の国のデータが嘘だと言うんですか?」

「そこまでは言わんよ。友好国だから。でも、わからんよ」

もちろん何の根拠もなし。続いてスワンはアフガニスタンでロシア政府がアメリカ兵を殺したタリバンに賞金を出していた件について、プーチン大統領と話したのかと尋ねた。

「いや。それはフェイクニュースだ」

「アメリカ政府の情報当局が言ってることですよ」

「私のデスクまで届いてなかったんだ」

届いたけど読んでなかったんでしょ。

「タリバンに武器を供与してるロシアに抗議しないんですか?」

「アメリカもロシアと戦うアフガンに武器を提供してたよ」

「それ、時代が違います」

おじいちゃん、80年代のアフガン紛争とごっちゃになってるよ！

次に11月の大統領選について。投票所でのコロナ感染を防ぐため、全米規模で郵便による投票が行われるが、トランプはこれを「認めない」と言う。

「ヒラリーだって大統領選で私に負けた結果を受け入れなかったぞ」

「いえ、敗北宣言してますよ」

「……郵便投票なんて今までなかったろ！」

「南北戦争の頃からあります」

スワンさん、予習がしっかりできてるね！

「でも今回は大規模だろ！　不正があるに違いない。郵便はダメだ。不在者投票はいいが」

「同じことですよ」

スワンのナイスな突っ込みにトランプは「裁判で戦ってやる」と往生際の悪さを見せたが、トランプの選対はネバダ州で郵便投票法を成立させた州務長官を訴えた！

☆　子どもはコロナに免疫がある!?　☆

その一方でトランプはフロリダ州の郵便投票は認めた。なんでフロリダはよくてネバダはダメ？　その矛盾をトランプはツイッターで説明した。

「ネバダには郵便投票できるインフラがない！」

もちろん根拠は示さない。

「訴訟で止めなきゃ不正されまくりだ。でもフロリダはインフラがちゃんとしてる。共和党の州知事が続いたからな！」

ネバダの州知事は民主党だ。でも、あんたが訴えた州務長官は共和党だよ！

スワンのインタビューでは恥をかかされたトランプだが8月5日、トランプ翼賛テレビ局のFOXニュースの朝のワイドショーに電話出演して司会者におだてられて上機嫌。その日も死者千人超えなのに「コロナなんて、どっかに消えちゃうさ！」と息巻いた。この人、半年前の2月19日にも「夏までには奇跡みたいに消えちゃうさ」と言ってたっけ。

FOXでトランプは学校の新学期について話した。彼は公立学校に秋から通常通りの授業を再開するよう求めている。従わないなら連邦からの助成金をカットするという脅し付きで。

全米教員組合は「子どもは症状が出ずに感染を広げていく」と反対しているが、トランプは「子どもはほとんどみんなコロナに免疫がある！」と主張する。

トランプは調子に乗って、この「子どもはコロナに免疫」発言をフェイスブックやツイッターにも載せた。ツイッター社はトランプの暴力的な煽動や間違った情報を規制する方針なので当然、それを削除。さらに今まで規制しなかったフェイスブックまで、さすがにこの発言は危険すぎると削除した。

ちょうどその頃、吉村大阪府知事がイソジンのうがい薬で口の中のウイルスが減ったと記者会見。それを信じて買い占めが起こり、メーカーの株価が高騰した。でも、なんのお咎めもないね!

そこまでやる?
郵便投票妨害のため
ポストが消えていく

2020年9月10日号

11月の選挙に向けて、民主党の大統領候補に決まったジョー・バイデン前副大統領は、自分の副大統領候補にカマラ・ハリス上院議員を指名した。史上初のアフリカ系、アジア系副大統領候補だ。

ハリス議員は、1964年、カリフォルニア大学バークレー校に留学していたジャマイカ人の父とインド人の母との間に生まれた。7歳の頃、両親は別れ、父はスタンフォード大学の経済学の教授になり、乳がんの専門医になった母に育てられた。

ハリスは検察官になり、カリフォルニア州の司法長官を経て、上院に当選した。アフリカ系の女性上院議員として史上2

人目だった。

バイデンは、女性や黒人などのマイノリティ、若者からの支持が薄かったので、そこをカバーするためにハリス議員を選んだと言われる。

トランプは8月13日の記者会見でさっそくハリス議員を中傷した。「彼女には副大統領になる資格がないそうだな。知らんけど」

「知らんけど」かよ！

もちろんこれはデタラメ。アメリカの領土内で生まれた人は誰でもアメリカ国籍を持ち、35歳を過ぎれば副大統領になれる。

バイデンが地味なのでパッとしなかった大統領選はハリス指名でやっと盛り上がり始めた。17日発表のワシントン・ポスト紙とＡＢＣテレビの世論調査で、バイデン＆ハリスはトランプ＆ペンスの現職コンビに対して支持率53％対41％と、12ポイントも差をつけた。

カマラ・ハリスは共和党にとって脅威だ。バイデンはもし当選しても一期で引退すると言われている。すると彼女が２０２４年の選挙に大統領候補として出馬することになる。

２０２４年の大統領選では、２０２０年の国勢調査を元にして「選挙人」という各州のポイントが調整される。人口が増加しているカリフォルニアやテキサス、フロリダでは増える。増えている人口はヒスパニックで、彼らは民主党支持者が多いので、カマラ・ハリスが勝利する可能性が高い。

トモヒロ、私の愛用しているタンニングスプレー（顔がオレンジ色になるヤツ）はどうだ？
トモヒロ、私のサイン入りマスクが175ドルだ
トモヒロ、私のサイン入り帽子は欲しくないか？
トモヒロ、君の愛と誠意を見せてくれ
トモヒロ、私の飲みさしのコーヒーカップ（紙製）が175ドルだ
……

トランプは彼女が指名されるとすぐさま、ツイッターや支持者へのメール、インタビューなどで激しく攻撃した。「彼女よりえげつない上院議員はいない」「最も進歩的な司法長官だった」「バーニー・サンダースよりもリベラルだ」

社会主義者のサンダースより左だったら共産党だよ！

本当はカマラ・ハリスとバイデンは民主党では右派。ハリスは司法長官として警察側に甘いと批判されてきた。相手に「左寄り」のレッテルを貼って保守派にアピールするトランプ戦略は今回は空振り気味。

トランプの再選は危ない。そう判断したのは大富豪たちだ。

日本のカジノ事業にも参入しようとしていた世界一のカジノ王、シェルドン・アデルソンはシオニストなのでイスラエルを支援すると約束した大統領候補に毎回莫大な選挙資金を寄付しており、2016年の選挙でもトランプに2千万ドル（20億円以上）寄付したが、今回は沈黙。

ヘッジファンドの大物ロバート・マーサーも共和党のキングメイカーと呼ばれる大口寄付者で、前回の選挙ではトランプの勝利に大いに貢献したが、今回は「100％寄付しない」と報じられている。

選挙資金の多くはテレビCMに使われる。トランプは激戦州でバイデンを中傷するCMを大量に流し続けているが、このままでは資金が枯渇する。そこで支持者たちに寄付を無心している。

自分も彼の動向を追うため、選対に登録してるんだけど、最近は「トモヒロ、私のサイン入り帽子（中国製）が欲しくないか？　75ドルだ」なんてメールが日に10通くらい届く。

トランプって金持ちじゃないの？　と思うけど、そうでもなさそうだ。今まで何度も破産してるし、絶対に納税記録を開示しないのも、ずっと赤字申告して税金を払ってないからだという。

苦しいトランプは強硬策に出た。投票妨害だ。

☆　投票率を下げろ！　☆

コロナ禍のため、今年の選挙は郵便投票が拡大される。ところが今年の夏からアメリカ各地で郵便局員が削減され、街角のポストが撤去され、仕分け装置が破棄されて、配達が遅れている。郵政公社のルイス・デジョイ総裁が郵便事業を縮小しているからだ。流通業者のCEOだったデジョイを総裁に任命したトランプは、さらに郵政公社への追加補助金2兆円あまりを拒否した。

「補助金が無ければ郵便投票できないからな」

トランプはFOXニュースで意図を明らかにした。「郵便投票は不正されるから」阻止するのだと。

「トランプはよくわかってるのよ」トランプと闘い続けるシンガー、テイラー・スウィフトは8月15日にツイートした。「国民が自分を大統領にしたくないって」

そう、トランプは投票率が上がることを恐れているのだ。共和党は長年、投票時に写真入りIDの提示を義務付ける法律を各州に作って、運転免許のない貧困層の投票を妨害しようとしてきた。貧困層、特に黒人やヒスパニックには民主党支持者が多いからだ。だが、郵便投票になれば、投票できてしまう。

「トランプは権力にしがみつくために、卑怯な手段でアメリカ人の生活を邪魔してるのよ」

テイラーの怒りも当然だ。民主党も腰を上げて、デジョイ総裁を連邦議会に召喚し、総裁はこれ以上の縮小をストップした。

だが、トランプは「郵便投票で選挙に負けても、その結果は受け入れない」と繰り返しており、あっさりとホワイトハウスから出ていってくれなさそうだ。

トランプの上級顧問、トランプ嫌いの娘とネットバトルで辞任

2020年9月17日号

前週の民主党大会に続いて、8月24日から共和党大会が開かれた。11月の大統領選に向けてトランプ大統領を正式に党候補として指名する決起集会だが、その前日の夜10時過ぎ、大会で演説する予定だった大統領の上級顧問、ケリーアン・コンウェイ（53歳）が突然、ツイッターで辞任を表明した。

コンウェイは世論調査の専門家で、2016年の大統領選挙の途中から選対本部長に抜擢されてトランプを勝利に導いた。すぐに辞めたりクビになったりで入れ替わりの激しいトランプ閣僚のなかでは最古参で、とにかくトランプのためならどんな無茶でも言ってきた。

まず大統領就任式。トランプたちが

「史上最大の動員」と言ってきたのに、上空からの写真で会場がスカスカなのがバレるとコンウェイは「もう一つの事実ってやつです」と無理くり擁護。

就任早々トランプがイスラム圏からの入国を禁止すると、コンウェイは「イラク難民が起こしたボーリンググリーン大虐殺への対応です」と釈明。ボーリンググリーン市から「そんな事件ないって!」と突っ込まれた。

ところがコンウェイの夫ジョージは、反トランプの共和党員で反トランプ運動リンカーン・プロジェクトを立ち上げた。彼らは言う。――もともと共和党はリンカーンが奴隷制度を撤廃するために立ち上げた党、それがトランプによって白人至上主義者に乗っ取られている。結党の理想に戻るため、再選を阻止しよう!

そんなリンカーン・プロジェクトはたとえばこんなCMを放送している。――トランプ大統領は「グッドイヤー社のタイヤを買うな!」とツイートしました。同社がMAGA帽(『アメリカをもう一度グレートに』というトランプのスローガンが刺繍された赤い野球帽)を勤務中に着用すべきでないリストに入れたからです(実はトランプに限らず党派性の強い服は論争の火種になるから全部禁止されていた)。これでグッドイヤー社の株価は下落しました。トランプはオハイオの、アメリカの企業の足を引っ張り、労働者の仕事を奪おうとしているのです(ちなみにMAGA帽は中国製)――。

「コンウェイの旦那のジョージってのは負け犬だな」

そんな風にトランプから何度も旦那を愚弄されてもケリーアンはトランプに忠実であり続けた。それがなぜ今、辞任するのか？

「もうママと親子の縁を切るわ」

ケリーアンが辞任表明する直前、コンウェイ家の長女クラウディア（15歳）がツイートしたのだ。

「パパとママはもう離婚するの」

やっぱりコンウェイ家はメチャクチャだったらしい。クラウディアはこれまでも何度もＳＮＳで叫びを上げてきた。ＴｉｋＴｏｋで「私のママはケリーアン・コンウェイなのよ。これ以上つらいことってある？」とつぶやいて涙を流したこともある。

「ママは我が子が苦しんでいるのを知りながらキャリアを選びました。自己中心的。金と名声のほうが大事なんですよ、紳士淑女の皆さん」

父との関係も良くないらしい。

「パパと私が一致してるのはトランプが嫌という点だけ。パパを買いかぶらないで」

さらにクラウディアは民主党の反トランプの女戦士アレクサンドリア・オカシオ＝コルテス下院議員に「私を養子にもらって」「ママの携帯の着信音をこっそり『ＷＡＰ』にしといたわ」とツイートした。

☆ 母の携帯に仕込んだイタズラ ☆

『WAP』 songwriters: Austin Owens, Belcalis Almanzar, Frank Rodriguez, James Foye III, Jordan Thorpe, Megan Pete

この家はヤリマンだらけ♪
顔に押しつけてやるからクレジットカードみたいに鼻をスライドさせなさい♫
♪みんなアソコはびっちょびちょびちょ♫
カーディ・B

『WAP』とは、カーディ・Bとミーガン・ザ・スタリオンという女性ラッパーのコラボ曲名。この二人は1メートルを軽く超える巨大ヒップをブルンブルンさせながら、WAP、Wet-Ass Pussy（びちょびちょ○○○）をファックして、と歌う。

「びちょびちょだからバケツとモップを持ってきて」

「あなたの大型トラックを私の小さなガレージに車庫入れして」

「料理も掃除もしない私が結婚指輪ゲットした理由を知りたい？」

「食物連鎖では私はピラミッドの頂点。私の尻に敷かれた彼は最下層」

面白すぎて全文引用したいが、クラウディアがこの歌を母の携帯に仕込もうと

したのは、ただのイタズラじゃない。この歌が共和党から攻撃されているからだ。

たとえばカリフォルニアの下院選に共和党から出馬したジェームズ・P・ブラッドレーはこうツイートした。

「運悪く聴いてしまった耳を聖水で清めたいです！」「神を信じず、強い父もなく育つとこんな歌を歌うのです！」

いやいや、実はカーディも熱心なクリスチャンだよ！

BLM《ブラック・ライヴズ・マター》に対抗するトランプの「法と秩序」

2020年9月24日号

ウィスコンシン州ケノーシャはミシガン湖に面した街で、シカゴの北、ミルウォーキーの南にある。人口は10万人、工具メーカー「スナップオン」と下着メーカー「ジョッキー」の本社工場があるが、ついこの間までアメリカ人でも名前すら聞いたことのない街だった。

8月23日、このケノーシャの警察に女性から通報があった。痴話喧嘩らしいが事実関係はまだ確認されていない。警官が現場に急行すると、ジェイコブ・ブレイク氏（29歳）という黒人青年がいた。拘束しようとすると、ブレイク氏は自分の車に乗ろうとした。その背中を警官は銃で7発撃った。車の中にはブレイク氏の幼い子どもが3人乗っていた。

銃撃の瞬間は近所の人にスマホで撮影され、ネットで拡散された。警察はブレイク氏がナイフを取り出そうとしたと主張しているが、警官はこういう時に「ナイフを捨てろ！」と叫びながら自分が持って来たナイフを現場に置いて正当防衛を偽装することが少なくない。ブレイク氏は奇跡的に命を取り留めたが、一生大きな障害が残るだろう。

これで、鎮静するかに見えたブラック・ライヴズ・マター（ＢＬＭ）デモにまた火がついた。現地では一部の暴徒が商店に放火した。

大坂なおみ選手は「私はアスリートである以前に黒人女性です」と、ブレイク氏銃撃に抗議してウエスタン・アンド・サザン・オープンの準決勝を一時棄権、プロバスケのＮＢＡやメジャー・リーグでも選手がボイコットを敢行した。

25日夜、全米が注目するケノーシャに、隣のイリノイ州から17歳の少年、カイル・リッテンハウスがやってきた。警官に憧れるカイルは、警察を支援するとネットで表明し、ＡＲ-15ライフルを構えてデモ隊と警官の間をうろちょろした。未成年はライフルを路上で持ち歩くのは違法なのに、警官は彼をとがめもしなかった。そのうちにデモ隊に囲まれたカイルは逃げながら次々に発砲。二人が死亡、一人が負傷した。

カイルはその場で警察に自首したが、なぜか放置され、自宅に帰ってから翌日に逮捕された。カイルは瞬く間にＢＬＭにイラつく人々の英雄になった。

カイルに続けとばかりに「愛国の祈り」を名乗る極右グループが銃で武装して600台のトラックを連ねて、デモが続くオレゴン州ポートランドに乗り込み、デモ隊にペッパースプレーを浴びせ、その混乱のなかで、「愛国の祈り」側が一人、射殺された。

「彼らこそ、本当の愛国者だ！」

トランプ大統領はそのトラック軍団をツイートで絶賛し、警官のブレイク氏銃撃を「ゴルフのミスショットみたいなもんだ」と評し、カイルについては「彼は追われてて、命の危険を感じたんだ」と正当防衛を主張した。

さらにトランプは「法と秩序をもたらすんだ」とツイートして、現地ケノーシャ訪問を告知した。「火に油を注ぐから来ないで」という州知事を無視して、勝手に現場に飛び、デモで焼かれたカメラ店の前でオーナーと並んで写真を撮った。その後、本物のオーナーが「政治利用されたくないから写真に写るのを拒否した」と告白。写っていたのは代役だったらしい。

トランプは写真を撮っただけですぐに帰った。目的は政治利用だった。デモ隊や黒人とは会おうともしなかった。もし、本当に「法と秩序」を求めるなら、対立する警察とデモ隊を仲裁しようとするだろう。ところが逆に軍隊や連邦の武装警察を送り込んで、かえって暴力をエスカレートさせている。

これは意図的だ。

☆ トランプの「法と秩序」の戦略 ☆

「法と秩序」はトランプのオリジナルじゃない。もともとはニクソンの言葉だ。1960年代末から70年代初めにかけて、キング牧師暗殺に怒る黒人たちの暴動とベトナム戦争泥沼化による反戦デモで全米が騒然としていた時、共和党のリチャード・ニクソンは強い警察権力で「法と秩序」を安定させるとアピールして大統領選挙に大勝した。対立を煽り、火に油を注いだほうが人々は強い権力に寄り添うからだ。

トランプは「法と秩序」戦略を、ニクソンの選挙工作員だったロジャー・ストーンから学んだと思われる。ストーンはトランプの最初の選挙顧問で、トランプを大統領にするためロシアが選挙に介入した疑惑を調査するＦＢＩを妨害した罪で有罪になったが、トランプは大統領の権力で彼を赦免した。自分で法と秩序を乱してるじゃん。

9月2日、トランプは激戦州ノースカロライナを訪れ、コロナのために大規模に行われる郵便投票は信頼できないと語り、「まず郵便で投票し、投票日にも投票所に行きなさい。もし郵便投票が集計されてたらそこでは投票できないはずだ。そうでなければ投票できるはずだ」と支持者に呼びかけ、後にツイートでも繰り返した。

せっかく投票所に人が集まって感染しないように郵便投票にしたのに、トランプ支持者たちが投票所に殺到して自分の票が届いているのか確認させろとゴネたら投票所は大パニックだ。

それに、支持率が下がってるトランプは郵便投票で投票率が上がることを恐れ、7月から郵政公社の人員や設備を削減して妨害しているので、すでに遅配が起こっている。このままだと大統領選でも、開票日までに投票が届かない危険性がある。すると、トランプ支持者は投票所でも投票するだろう。つまり二重投票だ。

「大統領の言葉に従わないでください。二重投票は違法です！」

ノースカロライナの選挙管理委員会や弁護士があわてて警告しているが、もうトランプ支持者は止められない。だって大統領にけしかけられれば、ライフルかついで人を撃ちにいく皆さんだよ。

また、法と秩序乱すのかよ！

「バイデンは中国の手先」というトランプの口癖は「負け犬」

2020年10月1日号

空がオレンジ色だ。夕焼けでもない、お昼なのに。うちのあるカリフォルニア州では、異常乾燥と熱波で山火事が100カ所近くで発生し、燃え広がっている。その煙と灰が空を覆い尽くし、空気中の細かい分子が太陽の光のうち波長の長い赤い光だけを反射して、空全体を真っ赤に染めている。どの自動車も灰をかぶって真っ白だ。

この火事で何万人もが焼け出され、財産を失っている。カリフォルニアでは毎年大規模な山火事が続いており、被災者救済には連邦政府の資金が必要だ。

「何度も言ったはずだ。掃除しろとな」8月20日、トランプ大統領はペンシルヴェニア州の支援者集会で山火事についてカリフォルニア州を責めた。「森の木の根本には枯れ葉だの枝だのが積もってるだろう。あれを片付けないから火事になるんだ」

そんなものは大昔からあるが、こんな火事にはならなかった。原因は毎年、上昇し続ける気温のせいだ。なにしろ今回は49度まで上がったのだ。でも、「地球温暖化などない。それはデマだ」と言い続けて石油や石炭産業を擁護するトランプがそれを認めるはずがない。

「カリフォルニア州は私の忠告を聞かなかった。その代償は払ってもらわないとな」

つまり連邦政府からの援助はしない、というのだ。トランプは一昨年も去年もカリフォルニアの山火事への援助を渋っている。なぜ、そんな嫌がらせをするのかというと、ひとつはカリフォルニアではもともと支持率が低いのでいくらひどいことをしても大統領選に影響ないということ。もうひとつは、カリフォルニア州知事のギャビン・ニューソムが民主党で、コロナ対策を各州まかせにしたトランプを激しく批判していたからだ。

「コロナは奇跡のように消え去る」と言っていたトランプ大統領は現在も、2月からの入国規制と、4月の一時金支給以外には、連邦政府としてのコロナ対策をしていない。だが、コロナの死者数は20万人を超えようとしている。

コロナに対する国民の怒りを、トランプは中国に向けさせようとしている。コロナを必ず「中国ウイルス」と呼び、中国の責任であるかのような印象操作をしている。9月7日の記者会見では、「中国への経済依存を終わらせる」と宣言、中国切り離し（デカップリング）の意向を打ち出した。すなわち、米国内で生産する製品の税を控除する。中国などで生産、雇用する企業には課税する。また、中国に委託する企業が連邦政府の仕事を受託することを禁じる。「ウイルスを拡散させた責任を問うためだ」という。

だが、中国は1兆ドルを超える米国債の保有国だ。トランプの対中強硬策に対して中国側は米国債を売りに出す可能性も匂わせている。もしそうなったらアメリカだけでなく、やはり1兆ドル以上米国債を持つ日本も大打撃を被る。もちろんそれはトランプもわかっていて、ギリギリのところで度胸試しをするチキンレースを仕掛けたのだ。

それに大統領選にも利用している。

「バイデンは中国の手先だ」

9月7日の会見でトランプは対立候補のジョー・バイデンをそう呼んだ。「バイデンの勝利は中国の勝利だ。アメリカは中国に乗っ取られるぞ。バイデンは社会主義者だ」いや、もうそれは全然ウソなんだけど。

「ヤツはすぐに経済を崩壊させる。見たこと無いほどの惨状になる。諸君らの持ち株も老後の蓄えも」

崩壊はトランプ政権下でもう始まっている。コロナ禍で実体経済が縮小し失業者が増えているにもかかわらず、ＩＴ株はバブル的に高騰し、史上最高値を更新し続けていたが、ついに力尽きたのか、9月4日から大暴落が続いている。

もうなんでも
いいから
ゴボウ
しばき合い
対決で決めて！
バイデン

そうなると大統領選でトランプの目はない。国際金融サービスＢＴＩＧのアナリスト、ジュリアン・エマニュエル氏によれば、１９２８年以降、投票日の３カ月前に株式市場が下落し、回復しなかった場合、現職の大統領、またはその政党の候補は必ず選挙で負けるというのだ。

☆　**トランプの口癖は遺伝**　☆

さらに困った記事が雑誌アトランティックに掲載された。２０１８年、トランプ大統領はフランスを訪問した際、彼の地で戦没したアメリカ軍兵士の墓地を訪れるのを中止した。「あの墓地に眠っているのは負け犬じゃないか」と言って。

いつものようにトランプは「フェイクニュースだ」と否定したが、「負け犬」がトランプの口癖なのは誰でも知っている。

ワシントン・ポスト紙が２０１６年に数えたところ、２００９年から７年間でトランプは１７０回も「負け犬」とツイートしていた。

「負け犬たちには悪いが、ご存知のように私のＩＱは誰よりも高いんだ。自分を責めることはない。君のせいじゃないから」（２０１３年５月８日）

てな調子で、自分を批判する女優やジャーナリスト、政敵をかたっぱしから「負け犬」呼ばわり。戦争の英雄にも容赦しない。２０１５年７月18日にはアイオワのイベントで、オバマと大統領選を争ったマケイン上院議員を「せっかく選挙資金寄付したのに負けやがった。負け犬め」と罵倒。さらに「彼はベトナム戦争の英雄なんかじゃない。敵の捕虜になったろ？ 私は捕まらない人が好きだ」と嘲笑した。ちなみにトランプは足の骨の変形を理由に徴兵を逃れている。

「負け犬」という口癖は遺伝だ。トランプの姪メアリー著『世界で最も危険な男』によると、トランプの父フレッドは、世の中には成功者と負け犬しかいないという世界観を子どもたちに押し付けており、トランプも青年時代から自分以外の人を「負け犬」と呼ぶようになった。

だからトランプは絶対に負けは認めない。選挙でトランプが負けたら大変なことになりそうだ。

自宅で寝てたら警官隊に射殺された救急病院職員

2020年10月8日号

3月13日深夜0時すぎ、ケンタッキー州ルイヴィルの救急病院で働くブリオナ・テイラー（26歳）のアパートのドアが激しく外側から叩かれた。

ドン！

またドアが重い衝撃を受けた。蝶番を壊して部屋に侵入しようとしている。

「ジャマーカスよ」ブリオナは言った。彼女は少し前にジャマーカス・グローバー（30歳）というヤクの売人と別れたが、ジャマーカスは未練がましく、何度もブリオナの部屋を訪れ、よりを戻そうとしていた。

その夜。ブリオナの傍らには今の恋人ケネス・ウォーカー（27歳）がいた。彼は拳銃を構えた。ちゃんと許可証を取った護身用の銃だ。ケネスは犯罪とは無縁な男だった。

ついにドアが壊れた。入ってこようとするのは銃を構えた男たち。ケネスは思わず、その一人の腿を撃った。男たちは一斉に撃ち返してきた。

ブリオナはドアから離れた寝室の方にいたが、窓から飛び込んできた銃弾を8発受けて死亡した。

彼女を襲った男たちは警察官だった。

USオープンで見事優勝した大坂なおみ選手は毎回、理不尽に殺されたアフリカ系アメリカ人の名前を書いたマスクをつけて試合に臨んだ。日本のSNSでは「犯罪者の味方をするな」と批判されたが、マスクに書かれたトレイヴォン・マーティン、アフマド・アーベリー、イライジャ・マクレイン、どの人も犯罪と無関係だった。ブリオナ・テイラーもそうだ。

ブリオナ・テイラーは母親が16歳の時に生まれた。ブリオナが6歳の時、刑務所に入った。麻薬取引で揉めて人を撃ち殺したのだ。

まだ若い母は人工透析補助として働き、ブリオナと妹を育てた。ブリオナも15歳の頃からレストランなどで働きながら家族を支え、高校を出て、ケンタッキー大学に進学した。

「私の親戚で、ここまで進んだのは私が初めて」

高校の卒業アルバムに彼女はそう書いている。

ブリオナが救急病院で働き始めると、グローバーが近づいてきた。彼はブリオナのアパートから10マイ

警官に止められたら、必ず見えるところに手を出しておくこと。何があっても絶対に絶対に走っちゃダメ。
シーズン14（17〜18年）より
言い返すのも急な動きもダメ。無事に家に帰ることだけを考えるの。わかった？
ショックを受け怯える息子役の名演…

「子供だけで外出したい」「女の子とデートもしたい」と言う息子に外出時の心得を教えるドラマ『グレイズ・アナトミー』のベイリー

ルほど離れた最貧困地区の廃屋を使ってクラックを売っていた。警察の麻薬課は、グローバーを尾行するうちに、ブリオナのアパートに行き着いた。そこに出入りするグローバーが麻薬や金を隠しているのではないかと考えた。

　何度も逮捕され、時には彼女のアパートの郵便受けを麻薬取引に使うグローバーにブリオナはうんざりしていた。7500ドルもの保釈金を払ってやったこともあるが、ついに縁を切った。

「妹の手本になるため、私は間違ったことはやめるの」

　そうSNSに書き込んだブリオナは、以前から知っていたケネスと付き合うことにした。コカ・コーラの倉庫で働く真面目な男だ。ケネスは郵便局への転職も決まり、二人は結婚して家を買って子どもを育てる夢を語るようになった。ケネスは彼女にプロポーズしようと、婚約指輪を買っていたが、渡すチャンスはなかった。

3月13日、ブリオナは3日連続の夜勤が終わって、ケネスと久々にデートし、レストランでステーキを食べた。その日はブリオナと同居する妹が旅行中だったので、二人で彼女のアパートに行った。

二人はベッドに入って、テレビで『フリーダム・ライターズ』という映画を観た。貧困層で犯罪の中に育った黒人やヒスパニックの高校生が、英語の授業で自分の気持を文章にすることで、自分の可能性に目覚めて、進学する実話だ。ブリオナは正看護師の資格を取りたいと家族やケネスに語っていた。映画が終わるとブリオナとケネスはすぐに眠ってしまった。

☆「警官に射殺された黒人」ではない☆

その頃、警察は武装したSWATを使ってグローバーと彼の一味を検挙していた。それと同時に別働隊が証拠を押さえるためブリオナのアパートに突入した。彼女は独りで寝ているものと考えていた。突入の際、警察は「『警察だ!』と名乗った」と主張するが、近所の住人でそれが聞こえたのは一人だけだった。

ドアを破った警官たちは10発発砲した。銃声が聞こえた時、アパートの駐車場にいた警官ブレット・ハンキソンは何も狙わずに、寝室の窓に10発撃ち込んだ。それがブリオナに当たった。

こうした突入の際、通常は救急車を待機させるものだが、その夜、警官たちはそれをしなかった。救急車を呼んだのはケネスだった。ブリオナは何の手当ても受けられずに死亡した。事件後、警察はブリオナのアパートを捜索したが、麻薬も金も見つからなかった。警官たちは誰も処分されず、逆にケネスを殺人未遂で起訴しようとした。

だが、5月にミネソタでジョージ・フロイドが警官に殺害され、全米にデモが広がると、ブリオナ・テイラー事件が掘り起こされた。ルイヴィル警察はあわててケネスの起訴を取りやめ、彼の正当防衛を認めた。そして、ノック無しに警官が踏み込むのを禁止し、ブリオナを撃ったハンキソンを解雇した。

さらにルイヴィル市は、ブリオナ・テイラーの遺族への賠償1200万ドルと、再発を防ぐための団体設立資金を支出すると発表した。しかし、警官に対する法的な裁きはまだ進んでいない。

今でもアメリカではBLMのデモは各地で続いている。人々は行進しながらシュプレヒコールを上げる。

「彼女の名を叫べ！」

「ブリオナ・テイラー！」

彼女は「警官に射殺された黒人」ではなく、ブリオナ・テイラーという名前を持つ、犯罪歴などない、夢や未来や愛する人のいた女性だったのだ。

人権のため戦い続けた最高裁判事RBGの遺言をトランプは無視

2020年10月15日号

筆者が住むカリフォルニア州バークレーのブティックでは、ウインドウのマネキンが黒いローブに白いレースのカラーを着せられている。一軒だけじゃない。何軒もの店が同じようなローブとレースを飾っている。

これは、9月18日に87歳で亡くなった連邦最高裁判事、ルース・ベイダー・ギンズバーグさんの追悼だ。ギンズバーグさんはアメリカで二番目の女性の最高裁判事だった。判事のローブが男用しかないことへの静かな抗議として彼女はレースのカラーを着けたという。女性の判事が何人必要かと尋ねられて彼女はこう言った。

「9人全員です。だって、全員男性だっ

た頃、誰もおかしいと言わなかったのですから」

ギンズバーグさんは1933年、ウクライナからのユダヤ系移民の家に生まれ、貧しい移民の街ブルックリンで育ち、17歳で母を失ったが奨学金で名門コーネル大学に進み、そこで結婚、22歳で母親になった。夫婦で弁護士を目指してハーヴァード大学ロースクールに進んだが、500人の学生のうち女性はたった9人。校舎には女子トイレもなかった。在学中に夫がガンで倒れ、ギンズバーグさんは子育てしながら夫の代わりに勉強し、転学したコロンビア大学ロースクールをトップの成績で卒業したが、どこの弁護士事務所も女性を雇わなかった。ACLU（アメリカ自由人権協会）を除いて。

ACLUは憲法で定められた人権を守るため、無償で弁護を請け負う団体で、ギンズバーグさんは男女の雇用差別を打ち砕く判決を次々に勝ち取っていった。男ばかりの裁判官に、彼女は何が差別なのかを根気強く理解させていった。

1993年にクリントン大統領によって最高裁判事に任命されてからも歴史的な憲法判断をリードしていった。

負ける時もあった。

最高裁は9人の判事が多数決で裁定する。司法の独立を守るため、最高裁判事は大統領でも罷免できない。亡くなるか引退した時に大統領が指名できる。民主党の大統領はリベラルな判事候補を、共和党の大統領は保守的な候補を指名する。それが上院議会で多数決で承認されると判事に任命される。

2013年、投票権の侵害について最高裁で争われた。南北戦争後、南部各州では様々な州法をデッチ上げて黒人の投票を妨害してきたが、100年後の1965年、やっと、黒人の投票権が憲法で守られることになった。ところが南部ではまた州法で写真入りID携帯を義務付けたり（黒人は免許取得率が低い）、黒人地区の投票所を廃止し始めた。明らかに投票権の侵害だが、保守的な判事が5対4で多数を占める最高裁はそれを合憲とした。

「私は反論します」ギンズバーグ判事は訴えた。「嵐の最中に傘を奪うような行為です」。傘とは投票権を守る法だ。

多数決で負けても決して屈しないギンズバーグ判事は、ラッパーのノトーリアス・B.I.G.をもじってノトーリアス（悪名高き）RBGと呼ばれ、Tシャツや絵本や人形が売り出され、正義のアイコンになった。

そこにRBG最大の敵が現れた。移民を罵倒し、女性を侮蔑し、セクハラしまくりのトランプ大統領である。

☆ メイク・アメリカ・不平等アゲイン！ ☆

RBGはトランプへの嫌悪を表明し、トランプは最高裁判事入れ替えをアピールした。保守系の判事で多数支配しようというのだ。トランプは就任以来すでに2人、新しい判事を任命した。どちらも50代で、

私の将来は史上最年少の最高裁判事！
「ブックスマート」のガリ勉ヒロインの憧れもRBG！
自宅部屋にRBGの写真を飾った祭壇がある

今後30年は君臨するだろう。RBGは80代で頑張ったが、膵臓ガンでついに力尽きた。

「次の大統領が決まる前に私の後任を決めないで」

それが彼女の最期の言葉だった。

もちろんトランプは聞く耳持たず、「大至急、後任を指名する」とツイート。上院を多数支配する共和党も「すぐに承認する」と表明した。

え？　2016年、大統領選の270日前に保守派のスカリア判事が急逝して最高裁に欠員ができた時、共和党は「新しい大統領が決まるまで」という理由で承認を拒否したのに！

そのズルさも、わからないでもない。

この11月の選挙でトランプは負ける可能性が高い。上院の共和党多数も53対47という僅差なので、選挙でひっくり返る可能性がある。だから、今から年末までが、共和党が新判事を決められる最後のチャンスかもしれない。

もし、ここで任命して保守6対リベラル3にできれば、政権や上院を失っても、司法だけは完全に支配できる。そうしたら、共和党の悲願である人工中絶の禁止も実現できる。トランプがやろうとした中東からの渡航禁止や移民の国外退去、環境破壊の規制緩和、それにオバマケア撤廃も可能だ。RBGが生涯をかけて勝ち取ってきた自由と平等を全部チャラにして、差別だらけの1950年代に戻れる。メイク・アメリカ・不平等アゲイン！

民主党としては、残された手段はひとつ。フィリバスター（上院で演説を長引かせて承認を妨害する）？いや、年末まで3カ月もあるから無理だろう。もし、最高裁を6対3にされたら、大統領と上下院議会をなんとか勝ち取り、最高裁判事の定員を増やすしかない。

でも、トランプは選挙で自分が負けたら絶対に不正だから裁判に訴えると選挙する前から言っている。つまり最高裁に判断させると。実際、2000年の大統領選でブッシュとゴアの票差がなかった時も最高裁に判断が委ねられたが、保守が多数を占めた最高裁はブッシュの勝ちを宣言した……。

暴走トランプ討論会で極右に「待機せよ」と指令

2020年10月22日号

連邦最高裁で、国民の平等と自由を守るために戦ってきたルース・ベイダー・ギンズバーグ判事の棺は、連邦議会議事堂に安置されることになり、一時安置されていた最高裁に全米から彼女を惜しむ人々が訪れたが、9月24日、棺の周りで激しいブーイングが沸き上がった。

トランプ大統領が現れたからだ。彼はギンズバーグの死が報じられたその日に、すぐに欠員を埋めると宣言した。保守系判事6対リベラル系判事3で最高裁を多数支配しようというのだ。というのも、11月の大統領選挙で自分が負けた場合、投票に不正があったとして最高裁に勝敗を委ねるため。

26日、トランプは判事候補にエイミー・コニー・バレットを指名した。彼女は48歳、史上最年少の最高裁判事になる。なにしろ2017年に連邦控訴裁判所で働き始めてから約2年11カ月しか判事としての実績がない。ギンズバーグは控訴裁判所判事を13年務めてから任命されたのにね。

バレットが選ばれたのは熱心なカトリックだから。中絶どころか避妊にも反対しており、自らも5人の子どもを生んでいる。また、保守的カトリックだった最高裁判事アントニン・スカリア判事の実務官として彼の「原意主義」を引き継いだ。それは「憲法を書いた者が意図した以上の拡大解釈をしない」主義で、建国当時は白人成人男性の納税者だけに認められていた人権を女性や他の人種にも拡大していくリベラルな憲法解釈に真っ向から反対するものだ。バレットが判事に加わった最高裁は、人工中絶や同性婚、オバマケアなど、ギンズバーグが守ってきた国民の権利を次々に抹消していくだろう。国民の3割を占める保守的キリスト教徒は大喜びだ。トランプはこれで彼らの票を獲得できる。投票日46日前のギンズバーグ死去は、トランプにとって棚ぼただった。

悪運強ええ……と思ったが、翌27日、ニューヨーク・タイムズ紙が「トランプは過去15年間のうち10年間は所得税をまったく納めていない」とすっぱ抜いた。大統領選に勝った2016年の納税額はわずか750ドル（約8万円）だった。うちの娘がインターンで稼いで払った税金より少ないぞ！

「フェイク・ニュースだ！」トランプはいつものようにツイートしたが、反論のために納税記録を公開するわけでもない。そもそも、2016年の大統領選でも納税額を追及されて「減税のための手段がいろい

これでメラニアだけ死んで俺がコロナから復活したら「不死身」+「気の毒な人」で圧勝間違いなし。
『24』や『スキャンダル』『ハウス・オブ・カード』の脚本家ならそうする…
ハッ…

ろ法律で認められているから使っただけだ」と白状している。さらに息子二人が弁護するつもりで「給与税や不動産税は納めている」と言ってしまったので、所得税を払ってないのは事実だろう。

　そして29日、民主党のジョー・バイデン候補と最初の討論会。司会は保守系テレビ、FOXニュースのキャスター、クリス・ウォレス。だが、ウォレスは7月のインタビューでトランプが「バイデンは警察を解体するそうだ」と言った時、「彼は言ってません」とウソを指摘して恥をかかせてしまったので、トランプに敵視されている。

　トランプのコロナ対策についてバイデンが「トランプは2月の時点で恐ろしさ

を知りながら何もしなかった。人命より株価を気にしてるから。もっと利口にならないと」と言いかけるとトランプは「利口なんて言うな！　貴様は学校じゃビリだったくせに！」と畳み掛けた。70過ぎて学校の成績で相手をなじるのも珍しい。ちなみにトランプは顧問弁護士（当時）マイケル・コーエンを使って「学校での私の成績を漏らしたら訴えるぞ」と母校を脅していた。

また、トランプが戦死者を「負け犬」と呼んだ件について、バイデンが自分の長男ボー（脳腫瘍で死去）はイラク戦争の英雄だったと語り始めるとトランプは「ボーのことは知らないが」と割り込み、「次男のハンターはコカインで軍隊クビになったんだろ」と言い始めた。クビではないが除隊したのは事実なのでバイデンが「今は中毒を克服した」と言うとトランプは「次男は中国で金稼いでるらしいじゃないか」と食い下がって、自分が戦死者を愚弄した件を有耶無耶にしてしまった。

☆　ネトウヨたちの狂喜乱舞　☆

さすがに司会が「2分間は邪魔せずに互いの言い分を聞くという約束ですよ。いいですね？」と注意するとトランプは「だって……」と言い訳しようとして司会に「理由を聞いたんじゃありません！」と叱られた。小学生か！

そのくせトランプは司会の質問にまともに答えられない。「カリフォルニアで山火事が続いていますが、地球温暖化を否定している大統領は、この状況をどう思いますか？」と聞かれて、「森の枯れ葉や枯れ木を掃除すればいいんだ」とトンチンカンな答え。45度を超える気温や72時間に1万発も落ちる雷が出火原因なのに。

司会が「大統領はデモ隊を暴徒呼ばわりしていますが、プラウドボーイズと名乗る極右グループや白人至上主義者の暴力を批判しないのですか？」と問うと、トランプは「悪いのは右翼じゃなくて、いつも左翼だよ」と、極右の批判を拒否し、カメラを見て「プラウドボーイズ、Stand back and stand by（いったん下がって待機せよ）」と、なぜかテレビの向こうに呼びかけた。

これでネットの右翼たちは狂喜乱舞。大統領がテレビで自分たちに指令を出してくれたのだ。忠実な兵隊として認めてくれたのだ。ヒトラーの親衛隊みたいなものだ。「待機せよ」ということは「出撃の時を待て」ということ。彼らはトランプのために何でもするだろう。投票妨害でも何でも。

この討論会を見たルーク・スカイウォーカーことマーク・ハミルは「最悪のものを観た。自分が出た『スター・ウォーズ』クリスマス特番以来だ」とツイート。『バック・トゥ・ザ・フューチャー』のお母さん役リー・トンプソンも「最悪。アヒルの恋人役やって以来」。ああ、『ハワード・ザ・ダック』思い出しちゃったよ！

マスクなし集会でトランプ感染&復帰!「コロナを恐れるな!」

2020年10月29日号

10月2日、トランプ大統領はコロナ陽性で入院した。74歳の高齢でハンバーガーばかり食べているトランプは死に至る危険性が高く、憲法修正25条に従って権力の移行も取り沙汰された。

この一週間に少なくとも22人がトランプの周辺でコロナ陽性になった。メラニア夫人、ホープ・ヒックス元広報部長、ケイリー・マクナニー報道官、スティーヴン・ミラー上級顧問、ケリーアン・コンウェイ元上級顧問、選対本部長ビル・ステピエン……。

その多くが9月26日の最高裁判事の指名式に出席していた。ホワイトハウスの中庭ローズ・ガーデンに集まった200人の8割は、マスク嫌いのトランプにならってマスクをしていなかった。さらにソーシャルディスタンスも無しで、握手どころかハグやキスさえしていた。大統領自身がクラスターを作ったわけだ。感染症専門家の警告を無視して。

就任以来、いちども自分の非を認めたことのないトランプもさすがに今回は反省するかと思ったが……。

トランプはなんと入院から3日後の10月5日に退院し、ホワイトハウスに戻った。

「私はコロナについて学んだ。完全に理解した」トランプは退院を国民に報告するビデオを発表した。相変わらずマスクはつけてない。

「コロナを恐れるな！　コロナに人生を支配されるな！」

そう言って自信たっぷりに親指を立ててみせた。何も変わってない！　いや、前よりも元気かも。

「私たちは好きでコロナに人生を支配されたわけじゃない！」

コロナで亡くなった俳優ニック・コーデロの妻アマンダ・クルーツは怒りのビデオをインスタグラムに投稿した。トランプのツイートは、コロナ対策のミスで亡くなった21万人と、その遺族にあまりに失礼だ。

でも、そんなこと気にする大統領じゃない。続けてこんなツイートも。

「インフルエンザで毎年10万人も死ぬが、いちいちロックダウンするか？　しないだろ。我々はインフルと同じようにコロナとも共存する道を学ばなければ」

このツイートは「コロナについて間違った情報を拡散しています」とツイッター本社から警告文をつけられた。

トランプは入院中からずっとマシンガンのようにツイートしまくっている。「最高の気分だ！」「投票せよ！」「20年前より調子がいい！」いつ寝てるのか？

医師団によるとトランプはコロナ治療薬デキサメタゾンを投与された。この薬の副作用は「気分の高揚、攻撃性、思考の混迷」。……そんな薬物の影響下にある人物に核ミサイルのボタンを握らせておいていいの？

こんなツイートもした。

「投票監視の義勇軍求む。アーミー・フォー・トランプ（トランプ軍団）」

つまり、不正投票がないか監視してほしいというのだが、トランプ支持者はライフルで武装して、投票所周辺をうろつくことになる。有権者への威嚇、投票妨害だ。「トランプ軍団」という名前は、ヒトラーの政敵を暴力で蹴散らしたナチ突撃隊を思わせる。

☆ミシガンを解放せよ！☆

トランプ軍団はすでに動いている。10月8日、ＦＢＩはミシガン州の極右過激派集団「ウルヴァリン・ウォッチメン」13人を逮捕した。彼らは他のミリシア（民兵）グループ200人を集めて、投票日前に州議会ビルを襲撃し、グレッチェン・ウィトマー州知事を誘拐、殺害する計画を進め、6月から訓練をし、爆弾の実験もしていた。ミシガンの司法長官ダナ・ネッセルによると彼らの目的は「アメリカを内戦状態

毒も敵
喰らう！
無
何種類も強力薬をドーピングした結果
範馬勇次郎化したトランプ

に引きずり込む」ことだった。

ウィトマー州知事（49歳）は民主党のホープ。歯に衣着せぬ言い方でトランプ大統領のコロナ対策を批判し、ミシガン州のロックダウンを続け、ビジネス再開を求めるトランプから「あの女はわかってない」と批判されていた。

4月にはトランプが「ミシガンを解放せよ！」とツイートした。いわゆる「犬笛（信奉者に向けた攻撃指令）」を吹いたわけだ。案の定、それに煽られた3千人のトランプ支持者がライフルで武装して州庁舎に押し寄せてロックダウン解除を求める事件も起こった。3千人だから、内戦というのも大げさな言い方ではない。

この誘拐計画について、ウィトマー州知事は記者会見で、責任はトランプ大統領にあると語った。

「国のリーダーは何かを語る際に責任を持つべきです。大統領が国内のテロリストを応援し、共感を示すのは、彼らの行動の承認であり、共犯です」

でも、このテロの首謀者のアダム・フォックスについて知るとちょっと哀れになる。彼は37歳無職。掃除機修理店で働いていたが、店の経営難で解雇された。金も、住む所もないフォックスは店長に頼み込んで、店の地下室にタダで住まわせてもらった。そこでフォックスは爆弾などを作り、州政府襲撃計画を準備していた。

フォックスのような失業者は大勢いる。9月の全米失業率は8％でコロナ前の2倍だ。景気はワクチンが普及する来年春まで回復しないと言われる。早急な給付金による救済が必要だが、トランプ大統領は下院議会との給付金の交渉を11月3日の投票日まで停止すると発表した。

「私が選挙で勝ったら、大型の景気刺激策を通過させてやる」

つまり給付金を人質に取ったわけだ。トランプ軍団はミシガンだけで収まりそうにない。

大統領選予想で最高の的中率の教授トランプ敗北を断言！

2020年11月5日号

2016年の大統領選でドナルド・トランプの勝利を予測した唯一の男、アラン・リクトマン教授にインタビューした。彼は1984年から現在まで9回の大統領選の勝者をすべて的中させてきたので「大統領選のノストラダムス」とまで呼ばれている。

2016年は投票日の夕方まで、ありとあらゆるメディアや評論家がヒラリー・クリントンの勝利を予想していた。世論調査に基づく予想だ。ところが蓋を開けてみると、世論調査ではヒラリーが勝っていたミシガンやウィスコンシンなど五大湖地方のいわゆるラストベルト（錆びついた工業地帯）が全部トランプに転んだのだ。

「世論調査は信じません」

リクトマン教授は言う。

「世論調査なんてものは、その瞬間を捉えただけのスナップショットにすぎません。だから私はもっと大きな視点からの予測システムを開発したんです」

歴史家であるリクトマン教授は、1860年から120年間の大統領選を精査して、現職の大統領か与党が勝つ時と、負ける時の共通点をチェックしていった。それをまとめたのが「ホワイトハウスへの13の鍵」というシステム。

「13項目中6つノーがあったらアウトです」

このシステムに従って、今回の選挙を占ってみる。

まず1の鍵。「与党の支配。与党が下院議会を多数支配しているか?」2018年の中間選挙で共和党は36議席を失って民主党に過半数を支配された。よって答えはノー。

2の鍵。「与党内に対立候補がいない」いない。イエス。

3の鍵。「与党の候補者は現職の大統領か?」前回のヒラリーはそうでなかったのでノーになったが、今回のトランプはイエス。

4の鍵。「集票力のある第三党がいない」ラッパーのカニエ・ウェストが出馬したけど、誰にも相手にされてないようなので、イエス。

もうなんでもいいから
筋肉ルーレットで決めて！
どっち
なんだい!?
バイデン
トランプ

５の鍵。「短期経済は好調か？」ノー。投票日直前の今、コロナのせいで旅行、小売、飲食、娯楽、衣料など多くの業界が大打撃をこうむり、失業者は６１６万人。

６の鍵。「長期経済は好調？」トランプ政権の３年間、ずっと株価は上がり、失業率は下がり続けた。だが、コロナのため、今年のＧＤＰ成長率はマイナス３・８％前後と予測されている。これもノー。

７の鍵。「政策的に大きな変革を行ったか？」トランプ政権は大幅減税に始まり、不法移民逮捕、パリ協定離脱、ＷＨＯ脱退など、良い悪いは別として、先のオバマ大統領の成果を片っ端からひっくり返そうとしてきた。答えはイエス。

8の鍵。「社会的不安はないか?」もちろんノー！　コロナの死者は21万人を超え、その出口は見えず、BLM運動が全米に広がり、武装した極右勢力と衝突し、殺伐とした日々が続いている。

9の鍵。「スキャンダルはないか?」ノー。投票日直前の10月にはオクトーバー・サプライズといって、選挙を左右する事件が起こるといわれるが、まずニューヨーク・タイムズがトランプはここ10年ほど、ほとんど所得税を払ってないことを暴露。さらにホワイトハウスに人を集めてコロナのクラスターが発生。トランプ自身を含む20人以上が陽性になった。と思ったら3日で退院して選挙活動に復帰したり、次から次への騒ぎで、ついていくのがやっと。

10の鍵。「外交政策の大きな失敗がないか?」イエス。「アメリカ第一」を掲げ外国の紛争に立ち入らなかった。プーチンや金正恩などの独裁者とも仲良し。そのおかげで戦争にはならなかった。

☆トランプの負けは決まり?☆

11の鍵。「外交政策の大きな成功があるか?」これはノー。とにかく外国には関わらないから。

12の鍵。「現職大統領候補にカリスマはあるか?」ふむ、トランプは一種のカリスマでしょ?

「違います!」

リクトマン教授に叱られた。

「たしかにショーマンですが、カリスマじゃない。カリスマとはリンカーンや、セオドア・ローズベルト、それにロナルド・レーガンのような人物をいうんです。トランプは国民を分断し、極端な人々だけに強く支持されます。レーガンを見てみなさい。彼は民主党支持者の票さえ勝ち取った。それをカリスマというんです」

そして最後の13番めの鍵。「対立候補にはカリスマ性がない」バイデン候補はトランプから「眠たいバイデン」「バイデン爺さん」と揶揄され、演説でも覇気がない。これはイエス。

「すると合計で、ノーは7つ。トランプは再選されないでしょう」

うーん、でもリクトマン先生、トランプは掟破りの大統領だし、コロナで選挙キャンペーンも滅茶苦茶だし、必ずしも過去のジンクス通りにはならないのでは？

「いつもそう言われます」リクトマン教授は笑う。「120年前は女性に参政権はなかったし、1965年まで南部の黒人は投票できなかったし、選挙制度は過去から何度も変わりました。それでもこの13の鍵の6つを落として当選した者はいないのです」

じゃあ、トランプの負けはもう決まり？

「いえ。トランプが勝つ場合は2つあります」

え？

「ひとつは投票抑制です。トランプは郵便投票は不正されると言ってすでに郵便業務を縮小しています。

投票日当日も『トランプ軍団』と称するボランティアを募集しています。彼らが有色人種の有権者を威嚇するると、接戦州の結果に影響するでしょう。もうひとつはロシアの介入。前回のように有権者をインターネットで密かに操作しているかもしれません。だから実は私も投票日までハラハラ、ドキドキなんですよ」

キリスト教右翼の大物トランプ支援するも3Pスキャンダルで自爆

2020年11月19日号

10月26日、連邦最高裁判事にトランプ大統領が指名したエイミー・コニー・バレット（48歳）が上院議会で承認された。9月18日にルース・ベイダー・ギンズバーグ判事が亡くなってから、わずか5週間のスピード承認だった。

これで最高裁判事9人のうち6人が共和党大統領の任命になったので、保守的な憲法判断が出てくるだろう。しかも、トランプが任命した3人とも還暦前。最高裁判事は亡くなるか引退するまで身分を保障されていて、弾劾手続き以外では罷免されないから、共和党の司法支配は数十年続く。

11月3日の選挙前にあわてて承認した理由はいろいろ。まず上院100議席を53でギリギリ過半数支配する共和党は今回の選挙で民主党に過半数を奪われる可能性が高いと見ており、承認できるラストチャンスだった。トランプも「選挙で負けたら、投票に不正があったとして提訴する」と公言し、各接戦州で訴訟の準備をしており、それを裁定する最高裁を共和党で固めておきたかった。

でもバレットは残念な人だった。承認前の上院司法委員会の公聴会で「憲法修正1条で保障される5つの国民の自由とは？」と質問されて「宗教の自由、表現の自由、報道の自由、集会の自由……」で詰まって5つ目が思い出せなかった。答えは「政府に救済を求める自由」。国民の福祉や平等を求める訴えを受け止める仕事である最高裁判事になる人がそれを知らなかったのだ。

バレットは保守的なカトリックなので、オバマ政権下で認められた同性婚などを違憲とする可能性がある。公聴会で彼女は「私は性的嗜好で人を差別しません」と発言し、「趣味の問題じゃない！」と批判を浴びて謝罪した。あまりに認識が古い。

「選挙についてトランプに有利な裁定をするか？」「人工中絶をどうしますか？」そういった質問すべてにバレットは「個人的な考えは控えます。法律に従います」と答えた。それしか言わないつもりだったので手元のメモは白紙だった。

しかし「法律に従う」と言っても、今問われているのは、それをどう判断するかだ。バレットは憲法判断において「原意主義」を掲げている。その条文を書いた人の意図に従い、現代の視点から拡大解釈しないという意味だが、まったくナンセンスだ。なぜなら、憲法が書かれた当時、想定していた「国民」は

ライアン・マーフィーの
R指定ドラマ並み
の内容とキャラクター
(特に登場人物のベタなルックス!)
20歳からの7年間…生き地獄でした
自分が学長を務める学校では、生徒たちにセックスも飲酒も禁止していたファルウェルさん

「不動産を所有する白人成人男性」だけだから。

人工中絶は憲法に規定されていない。だから各州法が禁止していた。だが、それが1973年に最高裁で違憲とされた。憲法修正14条「いかなる州も個人の自由を奪ってはならない（大意）」に反すると「解釈」されたから。解釈を変えればまた禁止される。それこそがバレットに求められている。

人工中絶についての最高裁判決をひっくり返すのは、半世紀近く保守的なカトリックとキリスト教福音派の悲願だった。そのため、ジェリー・ファルウェルという牧師が1979年に全米の人口の3割を占める保守的クリスチャンを投票に動員する団体「モラル・マジョリティ」を結成した。共和党のロナルド・レーガンが保守的な判事を指名すると約束して彼らの票を集め、1980年の大統領選に勝利した。

以後、キリスト教福音派は共和党最大の支持基盤になり、ファルウェルはキングメイカーになった。共和党から大統領になるには、ファルウェルが創立した福音派のための大学、リバティ大学でファルウェルのお墨付きを得ることが大事な儀式になった。

「今の共和党は福音派に乗っ取られてしまった」

2000年、大統領選挙の予備選に出馬した共和党の重鎮ジョン・マケイン上院議員がテレビで嘆いた。それを観てファルウェルは激怒し、絶対にマケインを大統領にしないと宣言し、対抗馬だった子ブッシュを支援し、彼を勝たせた。マケインは2008年に再び大統領選に出る際に、亡き父からリバティ大学を継いだファルウェル二世に詫びを入れて大学に招かれた。

☆福音派の大物、自滅☆

ファルウェル二世がトランプをリバティ大学に招いた時、福音派は驚いた。福音派は婚外交渉を厳しく禁止している。賭博もだ。ところがトランプは最初の離婚も二度目の離婚も不倫が原因で、カジノ・ホテルを経営している。大学内でもトランプ支持は猛烈に反対されたが、ファルウェル二世は抗議した職員をクビにし、学生新聞でトランプを批判した学生の奨学金を打ち切った。

ファルウェル二世はリバティ大学の学長でありながら、不動産で稼いでおり、不動産王トランプにビジネスマンとして共感したという。「私は祖父の才能も継いでいる」とも言うファルウェル二世の祖父は無神論者で密造酒で稼いでいた。

トランプは福音派のため、バレットを最高裁判事の座につけたが、ファルウェル二世は祝福できなかった。8月にリバティ大を辞任させられたのだ。マイアミのホテルのプールの監視員だったジャンカルロ・グランダがファルウェル二世の妻ベッキーと7年ほど肉体関係にあったことをロイターに暴露した。当時グランダは20歳の美青年、ベッキーは45歳だった。しかもファルウェル二世は二人のセックスを見て楽しんでいたという。

グランダはファルウェル二世に口止め料を要求して断られ、そのメールのやりとりも公表した。ファルウェル夫妻は基本的な事実関係を認めたが、妻の浮気を観戦したことは否定している。だが、以前からリバティ大の職員は、彼にベッキーのエロチックな写真を見せられたと苦情を訴えていた。そういう趣味なんだろう。

「神のお赦しを望みます」ファルウェル夫妻は言う。親父さんは「エイズはゲイへの神罰だ」「911テロも神罰だ」と言ってたのにね！

直撃現地レポート

どっちが勝っても内戦？武装して内戦に備える「トランプ軍」の人々

2020年11月12日号

大統領選挙の投票日は11月3日。民主党のジョー・バイデンが支持率優勢のまま逃げ切るか？　トランプ大統領が逆転して再選を果たすか？

トランプ起死回生の一撃かと思われたのは、投票日3週間前にニューヨーク・ポストに載ったバイデンのスキャンダル。バイデンの次男ハンターは2014年からウクライナのガス会社ブリスマの役員になったが、同社の顧問ヴァディム・ポザルスキーからハンターへの「父上と面会させてくれてありがとう」と書かれたEメールが発見されたというのだ。バイデン側は「副大統領時代はすべての面会が記録されているが、ポザルスキーと会った記録はない」と反論している。

バイデンはウクライナに10億ドルの経済支援を行う際、汚職に甘かったウクライナの検事総長の辞任を求めた。トランプ陣営は、ハンターの違法行為を隠蔽するためだと主張している。

☆ 怪しすぎるハンター疑惑 ☆

今回のEメールの件は何から何まで怪しすぎる。

まず、媒体が怪しい。ニューヨーク・ポスト紙はニューヨーク・ローカルのタブロイド紙で、夕刊フジみたいなもの。この記事を真剣に取り上げているのは、テレビではFOXニュース、新聞はウォールストリート・ジャーナルくらい。この3つはメディア王ルパート・マードックの所有で、共和党のプロパガンダ装置として知られている。そもそも、この件は最初、FOXニュースに持ち込まれたが、信憑性がない、と蹴られ、ニューヨーク・ポストでも記者二人が、信憑性がない、としてバイライン（署名）を拒否している。

また、ソースが怪しい。このEメールの出どころは、バイデンが住むデラウェアのパソコン修理店で、2019年4月、修理人ジョン・ポール・マック・アイザックの店に、水をこぼして壊れたパソコンが持ち込まれたという。しかし依頼人はいつまで経ってもパソコンを取りに現れなかったので、アイザックはFBIに通報し、パソコンを提出した。その後、音沙汰が無いので、コピーしたデータを公表したという。

なぜ、ハンターのパソコンだとわかったのか？　ニューヨーク・タイムズ紙（こっちは一流紙だよ）がアイザックに取材した。

「預かり証を書く時、パソコンを持ち込んだ客がそう名乗ったんです」

それって本当にハンター・バイデンだった？

「わかりません。見えなかったので」

アイザックは「法定盲人」、つまり強度の弱視で、その時はメガネをかけていなかったという。

しかし、なぜハンターがパソコンを持ち込み、そのまま取りに来なかったのか？ その客のデータを勝手に抜き取ってメディアに流したアイザックの行為は問題ではないのか？ 怪しすぎる。

さらに仕掛け人が怪しい。アイザックはそのEメールを最初、トランプの個人弁護士で、元ニューヨーク市長のルドルフ・ジュリアーニの事務所に持っていった。ジュリアーニは去年、ハンターの疑惑を探るためにロシアン・マフィア二人を雇っていたことが発覚している。しかも、ジュリアーニにニューヨーク・ポストを薦めたのはスティーヴン・バノン。トランプの首席戦略官だったが、「不法移民を防ぐためにメキシコとの国境に壁を築こう！」とキャンペーンして集めた寄付を着服して逮捕された。

☆ トランプ軍団の恐怖 ☆

何から何まで怪しすぎ。このEメールが本物だとはちょっと信じられない。

もし選挙でトランプが負けたらどうなるか？ 「私が負ける選挙には不正があるので、平和的に権力は譲らない」と彼は公言し、ペンシルヴェニアなどの接戦州の選挙が不正であると提訴する準備を進めている。その不正の証拠を集めるためのボランティアをアーミー・フォー・トランプ（トランプ軍団）と呼んでいる。

トランプ軍団という名前はシャレにならない。なぜならトランプの熱狂的支持者には銃で武装した過激派が多いからだ。実際、今年1月、トランプが「バージニアで銃が規制されるぞ！」とツイートしたら武装した2万人がバージニア州庁舎前に集まった。4月にトランプが「ミシガンでビジネスを再開せよ！」とツイートすると数百人が武装してミシガン州庁舎内に乱入した。10月にはトランプに逆らうミシガン州知事の拉致殺害を企んだミリシア（民兵）たちが逮捕された。

そんなトランプ軍団が接戦州の投票所に集まったら何が起こるか。バイデンに投票しそうな人々を銃で威嚇するかもしれない。何しろ、どの接戦州でも、路上でライフルを持ち歩くことが許されているのだから。

最初の討論会でトランプ大統領から「待機」を命じられた右翼団体プラウドボーイズが10月17日、サンフランシスコで集会を開いたので行ってみた。

プラウドボーイズなどの右翼団体の投稿を削除しているツイッター本社に対する抗議行動だったのだが、彼らの10倍以上のアンティファ（反ファシズム運動）やＢＬＭのデモ隊が集まってしまった。

集会が始まる前に、プラウドボーイズ側の主催者フィリップ・アンダーソン（黒人）がＢＬＭ運動家に殴られて前歯2本を折った。

「お前たちは俺たちトランプ支持者を白人至上主義と呼ぶが、見ろ、俺は黒人だ」アンダーソンは血まみれの口で叫んだ。「『黒人の命も大切だ』と言ってる奴らが黒人を殴ったんだぞ！」

後で、彼を殴ったアドラ・アンダーソンが逮捕された。どっちもアンダーソンで黒人。ブラザー同士じゃん。トランプが対立を煽りまくった結果がこれだよ。

「トランプ大統領は選挙には絶対に勝ちます！」

プラウドボーイズ側で演説したエレン・リー・チュウさんに話を聞いた。彼女は中国に生まれてアメリカの市民権を取り、2019年にサンフランシスコ市長選にも立候補した政治活動家。とにかく熱狂的なトランプ支持者だ。

「地すべり的勝利です！　70％以上の得票！」

でも、もし、選挙でトランプが負けたら？

「トランプ、バイデン、どっちが勝っても負けても内戦です！　銃を買いなさい！　私はもう買いました。それからトイレットペーパーも」

☆　トランプが救世主!?　☆

実際、銃の売り上げが激増している。たしかにトランプが負けたら武装したミリシアが暴れるかもしれ

BS朝日『町山智浩のアメリカの今を知るTV』より

BS朝日
エレン氏の考え
本当ですか?
私は 大統領選当日には
内戦になると信じています

筆者のインタビューにテンション高く答えるチュウ氏

ない。でもチュウさん、トランプが勝っても内戦？

「アンティファが暴れるんです！」

チュウさん、あのね、アンティファは組織じゃなくて運動で、リーダーも本部もない反体制の若者たちのゆるいネットワークで、使ってる武器といってもスケボーくらいですよ。

「いいえ、彼らは世界的な組織で軍事兵器を持ってるのよ！　それにＢＬＭも危険です！」

ＢＬＭも組織じゃなくて運動。警察は黒人を無闇に殺すなと訴えてるだけですよ。

「彼らはグローバリストの資本家に操られているんです！」

デモなんか操って何の利益があるんですか？

「グローバリストとリベラルの政治家が結託したディープステート（闇の国家）が世界を支配してるんです！　バイデンは邪悪な政治屋です！」

もしかして、チュウさん、Qアノン信じてません？　ネットの匿名掲示板で「Q」という匿名（アノニマス）投稿者が広めた陰謀論で、リベラルの政治家と資本家が結託して、子どもたちを誘拐してるという都市伝説だ。

「信じています。実際、子どもたちは行方不明になっているのです！」

Qアノン信者は、ディープステートは拉致した子どもを悪魔崇拝の生贄にしていると信じている。そしてトランプこそ、彼らの陰謀と戦う救世主なのだと。

「だって、トランプは神に選ばれた人ですから！」

プッシーつかみマンを？

「間違いありません。私はトランプ大統領がコロナ克服を宣言したホワイトハウスの演説に行ったんです。その時、ホワイトハウスの上に天使がいたんですよ！　写真を見てください！」

携帯の写真を見せてもらうと、ただの雲にしか見えなかった。信心が足りないね。

調査によれば、トランプ支持者の37％がQアノンを信じており、米国民の25％がエレンさんのようなキリスト教福音派で、その8割がトランプを支持している。

さて、内戦は起こってますか？

そしてトランプは落選。バイデン大統領に代わったアメリカは、果たして……？

What will happen after Trump leaves.

選挙でトランプ敗北
だが負けを認めず
票を盗まれたと主張

2020年11月26日号

「昨夜、私は勝っていた。重要な州を押さえていた」

大統領選挙の夜、勝利宣言をしたトランプだったが、一夜明けた11月4日、世界はひっくり返っていた。

「票差は魔法のように消えてしまった」

ミシガン、ウィスコンシンがジョー・バイデン候補に逆転され、ペンシルヴェニア、ジョージアでバイデン票がトランプを追い上げていった。

「これは不正だ！」とトランプは騒ぎ立て、各州の集計所にトランプ支持者が押しかけた。でも、逆転は最初から予想されていた。

共和党の支持者は全米の農村、山間、草原、砂漠など人口の少ない〝田舎〟に多く、すぐに集計が済むので開票当初は共和党が優勢になる。これをレッド・ミラージュ（赤い蜃気楼）と呼ぶ。これに対して民主党支持者は人口の多い都市部に多く集計に時間がかかるので、後から票を伸ばす。これをブルー・シフト（青方偏移）と呼ぶ。

それに今回はコロナのため、民主党支持者は郵便投票が多かった。トランプは「郵便投票は不正につながる」と言い続けたので、彼の支持者は投票日に投票所で投票した。郵便投票は投票者登録のサインとの一致を一通ずつ確認していくので、それも時間がかかる。

というわけでバイデンの逆転が起こった。でも、そんな理屈はトランプに通じない。逆転されたウィスコンシンなどには「集計し直せ！」、追いつかれそうなペンシルヴェニアなどには「集計をやめろ！」とツイート。犬笛を吹かれたトランプ信者が各地の集計所に押しかけて中に入れろと騒いだ。決められた監視員以外入れない決まりなのだが。

5日の夜、トランプはホワイトハウスで突然記者会見を開いた。

「奴らはこの選挙を盗もうとしてる！」何の証拠もなく叫んだ。

「私は勝っていたのに」いや、集計の途中で勝手に勝利宣言しただけ。

「郵便投票は腐敗している。もし合法の投票なら私は勝ったはずだ」郵便投票は以前から続いている合法の投票だけど。

「民主党が仕切っている土地で急にバイデン票が増えた」いや、逆転されたジョージア州知事は共和党だ。

それに民主党が票をいじったなら、なんで同時に行われた上下院選挙で民主党が苦戦してるの？

「なんで郵便投票でバイデンの票ばかり伸びるんだ？」あんたが郵便投票を信じるなと言ったからだよ！

「大統領はお兄ちゃんのパンツをはいたほうがいい」

集計が続くペンシルヴェニア州のフィラデルフィア市長はトランプに答えた。おむつを卒業する幼児に言う言葉だ。自分の思う通りにならないからと言って赤ん坊みたいにダダをこねるな、と。

トランプの個人弁護士ルドルフ・ジュリアーニはウィスコンシンやペンシルヴェニアやミシガンを選挙違反で訴えるという。でも、どんな違反？　何の証拠が？　何も具体的な不正を説明しないままジュリアーニはトランプ支持者に囲まれて叫んだ。

「私たちを馬鹿だと思ってるのか！」

その問いには答えにくい。哀れで。

☆　決して負けを認めないトランプ信者たち　☆

「集計をやめろ」と信者が騒ぐネバダ州では、「最後の一票まで集計する」と記者会見する選管委員長のマイクを一人のトランプ信者が奪って「バイデンの犯罪一家に選挙を盗まれた！」と叫んだ。そのおっさんのTシャツには「ＢＢＱ、ビール、自由」の文字が。それが本当に好きなんだろうけど、トランプ支持者の人となりを世間に示すことになった。

トラちゃんは大統領を
やめへんでやめへんで
やめへんでぇ〜〜!!
YEAH!
BBQ
BEER
FREEDOM

ネバダの選管事務所の前ではトランプ支持者たちが地面にひれ伏して祈りながら、トランプの票を伸ばそうと念力を送っていた。

「悪魔の連合がトランプ大統領から選挙を奪おうとしています！」

トランプのスピリチュアル・アドバイザー、ポーラ・ホワイトは、自分が牧師を務めるフロリダのメガチャーチ（巨大教会）でトランプ必勝祈願マラソンを続けた。

「神よ、私たちに勝利をください！　私には勝利の音が聴こえます！　聴こえます！　勝利が！　勝利が！　勝利が！　勝利が！　勝利が！　天国から勝利が！　勝利が！　勝利が！　おお、彼らがやってきます！　ここにやってきます！　イエス・キリストの名のもとに！　天使たちが！　アフリカから！　アフリカから！　アフリカから！」

するとポーラ・ホワイトは、謎の言葉を話し始めた。

「うばんさどにずばげんくどいすんまぁあきえだ！」

これは「異言」と呼ばれるもので、彼女は神や聖霊や天使の言葉をしゃべっているつもりなのだ。ポーラ・ホワイトは54歳。その容貌は牧師というよりは、80年代のロックバンドのメンバーと結婚したモデルの現在のようだが、実際、現在の夫はジャーニーのキーボードのジョナサン・ケインだったりする。彼女はファッションも牧師というよりはフロリダの成金マダムのようだが、実際、彼女の本業は不動産業。教会で語るのは「豊かさの福音」。金儲けすればするほど神に近づけるという、聖書とはかけ離れた教えだが、それで大人気。収容人数1万人のメガチャーチは毎週日曜日は必ず満員。金持ちの話を有難がって聞くというのは、ホリエモン信者と似たようなものだろう。

決して負けを認めないトランプに信者はどこまでついていくのか。すでにトランプ支持者は各地で集計所や選管を襲撃しようとして逮捕されている。トランプの元首席戦略官で、イスラム圏からの入国禁止などのトランプの過激な政策を推進したスティーヴン・バノンはポッドキャストで革命を呼びかけた。「革命ってのは園遊会じゃないんだ。内戦なんだよ！」

頼むイヴァンカ、リア王の暴走を止めるコーディリアになれるのは君だけだ！

トランプはなぜラストベルトの心をつかみ失ったのか

2020年12月3日号

B S朝日で『町山智浩のアメリカの今を知るTV』という現地ルポ番組をやってるんだけど、コロナのせいでずっと州外ロケに行けなかった。でも、大統領選前には接戦州で有権者を間近で見て生の声を聞きたかった。だが、あちこち飛び回ることはできない。首都ワシントンはコロナ感染者の多い州から入った者に2週間の自己隔離を義務付けているから。感染州に入ったら投票日のワシントン取材ができなくなる。

ただ、感染州に泊まらず、日帰りなら2週間隔離は免除される。ワシントンから日帰りで行ける接戦州はペンシルヴェニア州しかない。

今回の選挙ではコロナのため、郵便投

票と事前投票が拡大され、投票日前にすでに1億人が投票を済ませていた。すると世論調査はかなり正確になる。それを見ると、接戦州フロリダ、オハイオ、ジョージアはトランプ優勢、ミシガン、ウィスコンシン、ネバダはバイデン優勢。バイデンがわずかに優勢だが、どっちに転ぶかわからないのはペンシルヴェニア。しかも選挙人数は20もある。ここが勝敗を決する戦場になるのでは？

ということで感染者の少ないメリーランド州のホテルからペンシルヴェニア州に車で日帰りロケを繰り返すことになった。しかしペンシルヴェニアの面積は北海道と九州を足したくらいの壮大さで、その大部分がアパラチア山脈の麓に広がる森（シルヴェニア）。ひとつの街から3時間山道を走って次の街についてまた3時間移動という強行軍だった。標高高いから吹雪いてるし。

まず着いたのはラトローブという小さな町のトランプハウス。地元の不動産業者レスリー・ロッシさんが古い一軒家を星条旗の色に塗って、州のあちこちから訪れる人々にトランプ・グッズを無料で配っている。

「トランプさんの集会に行って『トランプハウスを作ったのは私です！』と叫んだら、『君か！』って言ってくれたのよ」

そう言うレスリーさんが大統領と並んで撮った写真を見る人々の目は輝いている。

「ここの地場産業は石油や石炭、天然ガス、製鉄で、労働者たちは組合を通してずっと民主党を支持してきました」レスリーさんは言う。ペンシルヴェニアは、ミシガン、オハイオ、ウィスコンシンと並ぶ五大

Dogs Return!
ホワイトハウスに犬が帰ってくる
champ
major

湖工業地帯で、ロシア、東欧、イタリア、アイルランド移民が多い。ペンシルヴェニアの製鉄の街クレアトンを舞台にした映画『ディア・ハンター』で描かれたように、土曜日は森で鹿を撃ち、ウォッカを飲んでコサック・ダンスを踊り、日曜日はロシア正教の教会で祈り、民主党が始めたベトナム戦争に行った。

「でも、いつしか民主党は都会のリベラル・エリートのほうばかり見て、製鉄所や炭鉱を見捨てたんです」

工場や炭鉱は閉鎖され、ラストベルト（錆びついた工業地帯）と呼ばれ、その労働者たちは「忘れられた人々」と呼ばれた。

次に訪ねたのはモネッセン。街の博物

館の看板には「製鉄労働者の誇り」と書かれ、30年代、ドレスで着飾った人々が映画を観に行く写真が掲げられている。しかし現在はゴーストタウン。巨大な銀行の建物も朽ち果てて倒壊寸前だ。

「この街を助けてください」

２０１６年、モネッセンの市長は様々な政治家に手紙を書いた。誰にも相手にされなかった。大統領選に立候補したドナルド・トランプ以外は。そうしてトランプはモネッセンのようなラストベルトの寂れた街を何十カ所も訪れ、労働者たちのたくましい手を握って回り、「あなたたちは二度と忘れられたりしない！」と叫んだ。そして、彼らの雇用を確保するために石油や天然ガスのフラッキング（岩盤破砕）の規制を緩めた。地下水を汚染するということで問題になっている採掘法だ。

「私は天然ガス採掘場で25年間働いてきた」

モネッセンの酒場で会ったブライアンさんは言う。

「確かに雇用は安定した。でも、トランプには投票しない」

なぜ？

「分断を煽ったから」

☆「傷つける言葉」の報い☆

トランプは労働者たちの鬱憤をエリートやメディアに向けさせた。ＣＮＮやニューヨーク・タイムズを

「フェイクニュース」、ブラック・ライヴズ・マター運動を「極左テロ」、対立候補のジョー・バイデンを「ムショにぶち込め」と罵った。ブライアンさんは「アメリカ人同士が傷つけあっている」と嘆く。「それを元に戻さなきゃ。経済よりも大事なことだ」

彼のような人が多かったのかもしれない。ペンシルヴェニアでは民主党のジョー・バイデンがトランプに約5万票の差をつけて勝った。バイデンの出身地スクラントンでもアレンタウンでも『ゾンビ』の街ピッツバーグでも『ロッキー』の街フィラデルフィアでも勝った。これで次期大統領選の勝利を決めたバイデンは演説でこう言った。

「トランプ大統領に投票した人々はがっかりしているでしょう。でも、これからは相手を傷つける言葉はやめて、お互いの主張に耳を傾けましょう。前に進むために。私たちは敵ではない。みんなアメリカ人です。今はアメリカの傷を癒やす時です」

今回、意外だったのは保守王国アリゾナとジョージアでバイデンが勝ったことだ。アリゾナで31年上院議員を務めたベトナム戦争の英雄ジョン・マケインをトランプは「敵の捕虜になったのに英雄か」と罵った。ジョージアの下院議員ジョン・ルイスを「口ばっかりで行動が伴わない」と侮蔑した。ルイスは60年代に公民権運動のデモを繰り返し、KKKに火炎瓶を投げられ、警官に警棒で殴られても非暴力の闘いを続けた行動者なのに。マケイン議員もルイス議員もバイデンの親友だった。トランプは「傷つける言葉」の報いを受けたのだ。

ジョージアの黒人はいかにして投票抑圧に打ち勝ったのか

2020年12月10日号

「調査の結果、選挙に不正は一切ない」

そう断言した、国土安全保障省サイバー・セキュリティ部門のクリス・クレブス長官をトランプ大統領はクビにした。トランプは今も敗北を認めてない。

今回の大統領選挙でトランプ撃退に貢献した人物もかつてそうだった。

それはジョージア州の元州議会議員ステイシー・エイブラムス（46歳）。『風と共に去りぬ』の舞台として有名な、保守的で差別的で、共和党が選挙で勝ち続けるジョージアで、草の根運動で黒人票を掘り起こし、民主党のジョー・バイデンを約1万2千票差で勝利させた黒人女性である。

2年前の2018年、エイブラムスは民主党から州知事選に出馬した。対抗馬は共和党の前州務長官ブライアン・ケンプ。ウェスタンブーツをはいてライフルを振り回し、「ポリティカリー・コレクトに反対する」と公言する典型的な南部の白人男だ。

だが、ジョージアの都市部で非白人の人口は増えていた。全州民のうち黒人は30%、ヒスパニックは10%。だから52%いる白人のうち3分の1を獲得するだけでエイブラムスは勝てる計算だった。ところが、ケンプに5万4千票差で敗れた。

そしてエイブラムスは「これは敗北宣言ではありません」とスピーチした。

州務長官だったケンプはその地位を利用して、あらかじめエイブラムスが勝てないように準備していたからだ。まずケンプは前の年に214カ所の投票所を閉鎖した。その多くが黒人の住む地区だった。投票日には仕事を休んで夜明け前に起きて投票所まで行き、何時間も行列に並んでも、投票所が閉まる夜8時までに投票できない人も多かった。

さらに投票所では身分証明書を提示し、事前に有権者登録したリストとの一致を確認するのだが、多くの人が自分の名前を確認できなかった。なぜなら、ケンプが彼らの登録を抹消していたからだ。理由は2016年の選挙に投票しなかったから。その数なんと140万人で、8割が非白人だった。州務長官にこんな勝手ができるのは、2013年の最高裁判決で、各州の投票システムは各州の州務長官の権限になったからだ。

エイブラムスは嘆く暇もなく「フェア・ファイト（公正な戦い）」を立ち上げた。自宅訪問やショッピングセンターでマイノリティを一人ひとり有権者登録するよう説得する地道な運動だが、これで80万人を登録させ、バイデン勝利につなげた。

ジョージアでは大統領選だけでなく、上院選でも来年1月に決選投票が行われる。現在、連邦上院の議席100のうち共和党50、民主党48で、この決選投票にアメリカの今後がかかっている。

共和党の上院議員候補の2人は楽勝だと思っていた当てが外れて、現在の州務長官ブラッド・ラッフェンスペルガー（共和党）に選挙を混乱させたとして引責辞任を求めた。トランプも自分が負けたことでジョージアの選挙には不正があると言い出し、ケンプ州知事はすべての投票を手作業で数え直させた。しかし、ラッフェンスペルガーは選挙は公正だったと胸を張り、こう言い返した。

「トランプが負けたのは、彼がさんざん『郵便投票や不在者投票を信用するな』と言ってきたせいだ。そんなこと言わなければ1万票差で勝っていただろう」

手作業の再集計は終わったけど、不正は見つからず、バイデンの勝ちは揺るがなかった。

☆　銃をふり回すQアノン下院議員登場！　☆

そのいっぽう、ジョージアから頭の痛い議員が出てきた。白人ばかりの選挙区で共和党から下院に当選したマージョリー・テイラー・グリーン（46歳）は、ブログでQアノンの陰謀論を拡散させていた白人女

民主党は小児性愛と反米左翼の巣窟…
ああああああああ
Qアノン議員ことマージョリー・テイラー・グリーンさん（田中真紀子似）
子供たちを守らなきゃ！

性だ。

Qアノンのネットの書き込みから生まれた陰謀論とは、民主党の政治家とユダヤ資本は密かに結託しており、幼児を誘拐して売ったり、悪魔崇拝の儀式の生贄にしているが、トランプはそれと戦っている、という妄想。

「Qアノンは真実なのよ！　この国からサタンを拝むペド（小児性愛者の俗語）どもを叩き出す時なの！」

グリーンはフェイスブックに上げたビデオで熱弁を振るう。

去年の12月には下院議長のナンシー・ペロシ（民主党）の弾劾を求める署名運動を始め、フェイスブックにこう書いた。

「理由？　国家反逆罪よ！　弾劾するだ

けじゃなくて死刑にすべきよ！」

え？　なんで？

「ペロシは不法移民の味方よ。この国に麻薬を持ち込んで、アメリカ市民を殺すテロリストよ。それを防ぐためのメキシコとの国境の壁に連邦予算を割くのをペロシが仕切る下院が拒否したのよ」

いや、そんなことで死刑にできませんよ。このグリーンという人は法律がよくわかってないらしい。

今年の夏、下院議員予備選に立候補したグリーンはフェイスブックに「アメリカを救え！　社会主義を阻止せよ！　民主党を倒せ！」と書かれたコラージュを載せた。AR-15ライフルを構えたグリーンが立ち向かうのは、民主党の若手女性議員3人、ＡＯＣ（アレクサンドリア・オカシオ＝コルテス）、イルハン・オマール、ラシダ・トライブ。さらにこう書き添えられている。

「反米左翼が我が国をダメにしています。真実を叫ぶ戦士が必要です。彼ら社会主義者に対して攻勢をかけられる強いキリスト教保守が必要なのです。アメリカを取り戻す！」

フェイスブックは民主党議員への銃撃を煽る危険があるとして、その写真を削除した。

こんな人が来年1月から下院でペロシ議長やＡＯＣに対峙するんだから大変だ。さっそくグリーンは「私は議場でもマスクはしない！」とトランピストらしい発言で物議をかもしている。

あ、もちろんトランピストだから、「今回の選挙には不正がある！」と喚いている。自分はそれで当選しただろ！

トランプ票を盗んだのは7年前に死んだベネズエラの大統領?

2020年12月17日号

「台所のシンクを壁に投げつけて、くっつくかどうか試している」

共和党の弁護士ベン・ギンズバーグは、トランプ大統領の弁護団の無茶な訴えをそう表現した。トランプ陣営は、大統領選挙で民主党のバイデン候補が勝ったのは不正があったからだとして、ペンシルヴェニアやジョージアなどの接戦州に提訴しているが、32件が棄却された。もちろん何の証拠も提出できないからだ。

ギンズバーグは２０００年の大統領選挙で、共和党の子ブッシュ候補の弁護士だった。ブッシュはフロリダ州で民主党のゴアに僅差で勝利したが、ゴアが票の数え直しを求めた。それに対してギンズバーグらは集計ストップを求めて提訴。

最高裁はその訴えを認め、ブッシュが大統領選に勝利した。

そのギンズバーグから見ても、トランプの訴訟はまったく無意味ということだ。

トランプの弁護団は11月19日、記者会見を開いた。

「この選挙からは不正の匂いがする！」

弁護団のリーダー、ルドルフ・ジュリアーニ元ニューヨーク市長は力強く叫んだ。「諸君ら（記者たち）には匂わないだろうが、我々は18通りのやり方で不正を証明してみせる」

18通りって何だろう？

さらに弁護団の一人、豹柄のカーディガンを着た大柄な女性シドニー・パウエルが、わなわなと震えながら、恐るべき陰謀を解き明かした。

「（選挙不正に）共産主義者の金が入っています」

いきなり「共産主義者の金」というパワーワード！

「キューバやベネズエラ、もしかしたら中国が、投票集計機を操っていたのです。ドミニオンという集計機とスマートマティックという集計プログラムはベネズエラのウーゴ・チャベス大統領によって彼が選挙に勝つために作られました。チャベスはトランプと敵対していました。その集計機がトランプ票をバイデン票にすりかえていたのです」

チャベス？　7年前に死んだのに！

でもまあ、トランプも「バイデンはカストロの操り人形だ！」ってツイートしてたからなあ。4年前に死んだのに。さすがは信玄！　死してなお、この信長を……ってやつ？

ちなみにスマートマティックを開発したのは確かにベネズエラ人だが、選挙の勝敗を決する接戦州では同社の商品は使われていない。

国土安全保障省サイバー・セキュリティ部門のクリス・クレブス長官は11月12日に「この選挙には一切の干渉も不正もありません」と発表している。それでトランプの怒りを買って解任されたけど。

シドニー・パウエルも記者会見の後、トランプ弁護団から外された。チャベス陰謀論だけでなく、「いったい何人の民主党や共和党の選挙関係者が賄賂を受け取ったのでしょう」とも言ったからだろう。何の根拠もなく、買収疑惑を投げつけていいわけがない。

それに彼女がペンシルヴェニアとジョージアに提出した訴状がひどかった。誤字だらけで、時に単語の間を空けずにズラズラと書き続けた文面は狂気すら感じさせる。支離滅裂で、証拠も何もなく、プロが書いた法的書面とは思えない。

ジュリアーニも笑いものになった。記者会見では、空回りの熱弁を振るううちに、汗で両耳脇の鬢の毛染めが黒いしたたりとなって流れ出した。それは彼自身がメルトダウンしていくように見えた。

その前の記者会見もシュールだった。トランプ弁護団は、記者会見の会場として、高級ホテル「フォーシーズンズ」と間違えて、同じ名前の造園会社をブッキングしてしまった。駐車場で選挙の不正を訴えるジュリアーニ、隣の建物はポルノショップ。マヌケすぎる光景だった。

☆　晩節を汚し続けるジュリアーニ　☆

でも笑い事じゃない。ジュリアーニの訴権の濫用は、民主主義の根幹である投票制度への信頼をひどく傷つけている。ビル・パスクレル下院議員は彼らの弁護士資格を取り消すよう裁判所に意見書を提出した。

そんなジュリアーニもかつては英雄だった。連邦検事としてマフィアやインサイダー取引を厳しく取り締まった。1994年にニューヨーク市長になると、警察を強化して犯罪を減らし、安全な街に生まれ変わらせた。911テロでは、失意のニューヨーカーたちを励まし、その姿は世界に報じられ、英国女王からナイトの称号さえ授与された。その後は、世界各国で講演を行い（一回のギャラ20万ドル！）、2018年の年収は5億円に達した。

そのジュリアーニが76歳の今、なぜ、晩節を汚し続けているのか。闇に落ち始めたのは、2008年の大統領選の予備選で脱落してかららしい。その後、彼はロシア、ブラジル、トルコ、カタールなどのいかがわしいクライアントの顧問として暗躍し、ついにはトランプの個人弁護士に雇われた。

金目当てだという人も多い。この不正選挙を巡る訴訟の報酬はなんと日に（日にだよ）2万ドル（約200万円！）と報じられた。

ジュリアーニは浪費家だ。毎月の支出は23万ドル（約2300万円）といわれる。世界中に6つの豪邸と自家用ジェットを持ち、好きな葉巻だけで1万2千ドル（約120万円）を使う。さらに離婚した妻ジュディスに3千万ドル（約30億円）の慰謝料プラス月4万2千ドル（約420万円）の生活費を送り続けている。その前の二度の離婚も自分の不倫が原因で、そのたびに財産の半分を奪われている。

この不正選挙の訴えはまったく勝ち目がないが、ジュリアーニとしてはできるだけ事態を長引かせて、一日2万ドルの報酬をもらい続けたいだろう。でも、トランプも金はない。すでに弁護士費用は支持者の草の根寄付に頼っている状況だ。それが尽きれば、ジュリアーニも終わりだろう。だって、こんなデタラメな訴訟をした彼に弁護や講演を依頼する人っている？

トランプ最後の手段 自分を自分で 恩赦できるのか?

2020年12月24日号

カミさんが機嫌悪い時、理由はわかんないけど、どうせ自分が悪いに決まってるので「ごめん!」と先に謝ってしまうことってないですか? 先制攻撃ならぬ先制謝罪。

でも、先制恩赦なんて聞いたことなかった。

毎年クリスマスに大統領は恩赦を行う。ニューヨーク・タイムズによると、トランプ大統領は長男ドナルド・Jr.、次男エリック、長女イヴァンカ、娘婿のジャレッド・クシュナー、それに個人弁護士のルドルフ・ジュリアーニについて「先制恩赦」することを検討しているという。

それればかりか、トランプは自分自身を

も恩赦しようとしているという。

合衆国憲法第2章第2条には「大統領は弾劾の場合を除き、合衆国に対する犯罪について、刑の執行停止または恩赦をする権限を有する」とある。

恩赦の基本は人道上の理由だ。

たとえば1862年、リンカーン大統領は、飢餓に追い詰められた先住民ダコタ・スー族が、開拓民を襲撃して殺した事件で、実行犯以外の全員を恩赦した。1868年には暗殺されたリンカーンに代わって副大統領から大統領になったアンドリュー・ジョンソンが、南北戦争で南軍のために戦ったすべての兵士の国家反逆罪を赦免した。どちらも歴史の被害者であり、裁くのは酷だ。だから、ジミー・カーター大統領は、ベトナム戦争の徴兵から逃げた若者たちを恩赦した。

オバマ大統領は任期中2千人ほどを恩赦したり刑期を短くした。そのほとんどが貧しい黒人やヒスパニックの麻薬の個人使用だった。こうした犯罪は現在、刑事罰を科さずに治療する方向に進んでおり、今年11月にオレゴン州でも州民投票ですべてのドラッグの個人使用を非犯罪化する法案が認められた。

これに対して、トランプが恩赦したのは、詐欺の大物とか汚職政治家とか腐敗した金持ちが多い。たとえばマイケル・R・ミルケン。1980年代、ジャンク債(リスクの高いクズ社債)をまとめて隠して売るという、その後のサブプライム・ローンみたいな商品で大儲けして「ジャンク債の帝王」と呼ばれたが、インサイダー取引などで逮捕。実刑を受けた後、ウォール街に復帰して再び莫大な富を築いた。

それにブラゴジェヴィッチ元イリノイ州知事。2008年にイリノイ州の上院議員だったバラク・オバマが大統領に当選したが、それで空席になった上院の議席に後任を任命するのは州知事の権限だった。ブラゴジェヴィッチはそれをなんと金で売ろうとして逮捕、14年の刑を受けていたが、トランプによって無罪放免された。

また、トランプは自分の身内も次々に恩赦している。たとえば選挙顧問だったロジャー・ストーン。ニクソン時代から暗躍する政治ゴロで、トランプとロシア政府の癒着についての調査妨害と偽証で有罪になったが、すぐにトランプに恩赦された。

トランプ政権の安全保障部門の補佐官だったマイケル・フリンもロシアと交渉していた件でFBIに追及され、偽証して有罪になったが、彼も11月に恩赦された。

このように大統領が自分の身内を恩赦した例はいくつかある。

1992年、父ブッシュ大統領はイラン・コントラ事件の関係者6人を恩赦した。レーガン政権が、中米ニカラグアの社会主義政権を倒すために作った右翼軍事組織コントラを支援する資金を調達するため、敵国イランに密かに武器を売った件で、当時副大統領だったブッシュ自身も関わっていたのに、この恩赦で有耶無耶になった。

史上最も賛否が分かれたのは1974年、フォード大統領によるニクソン恩赦だ。ニクソン大統領は民主党の選挙本部を盗聴したウォーターゲート事件で辞任したが、副大統領から大統領になったフォードは、

いいなー恩赦！いいなーアメリカ！
日本にも恩赦制度ありますけど…
バカだから忘れてるんだ
余計な知恵つけるな
しーっ

「関わった犯罪、または関わったかもしれない犯罪」について赦免するとした。

これが「先制恩赦」だ。

☆自分で自分を恩赦とは？☆

トランプはいったい何に備えて家族を恩赦しようとしているのか。長男ジュニアと娘婿クシュナーは２０１６年の選挙時に、対抗馬ヒラリーに不利な情報を求めてロシアと接触した件で追及が続いている。次男エリックと長女イヴァンカの罪はわからない。だが、彼らはトランプ・オーガニゼーションの経営者でもあり、公費や選挙資金を自社に流している疑惑が絶えない。

先制恩赦の対象といわれるジュリアー

ニ弁護士は、ジャンク債の帝王マイケル・ミルケンをトランプに恩赦させた。それが献金の見返りだった疑惑がある。これが立件されると、ジュリアーニどころかトランプ自身も逮捕される。1月20日に大統領の任期が切れればトランプの不起訴特権は消滅する。

問題は、トランプ大統領が自分自身を恩赦できるのか、ということ。なにぶん前例がないだけに法律関係者の間でも意見は割れている。

大統領の恩赦が適用されるのは連邦法についてのみ。州法からは逃げられない。トランプは、ニューヨーク地裁から求められている納税記録の提出を拒否し続けているが、脱税に恩赦は効き目がない。

でも、なんとかなるだろう。トランプは今回の選挙を無効とする裁判費用の寄付を求めているが、その額は2億ドルを超えた。脱税で訴えられても、その裁判費用として、もっともっと寄付を集めるんじゃね？　なにしろ4年後の大統領選にまた出るつもりらしいし。

★トランプは自分を恩赦しなかった。罪を認めることになるからだという。

トランプのマスコットに無理やりされたかわいそうなカエル

2021年1月14日号

フレッド・ペリーというポロシャツで有名なブランドがある。ブランド名になったフレッド・ペリーは綿紡績工場の労働者の息子に生まれたが、貴族のスポーツだったテニスのウィンブルドンで優勝した。労働者階級の英雄であるフレッド・ペリーの服はモッズやパンクの若者から人気だった。

そのフレッド・ペリーが黒地に襟に黄のライン入りのポロシャツのアメリカでの発売を中止した。トランプ大統領を支持する極右集団プラウドボーイズがユニフォームにしたからだ。

プラウドボーイズが人種差別に反対する、ブラック・ライヴズ・マターのデモに乱入して、棍棒を振り回して大暴れする姿がニュースで放送されると、みんなフレッド・ペリーのポロシャツを着ていた。おそらくイギリスの白人至上主義グループ、スキンヘッズがフレッド・ペリーを着ていたのに影響されたのだろう。

フレッド・ペリーは「我が社は差別に反対します」と公式に表明し、襟に虹色のラインがある新作を発表した。レインボウは多様性の象徴だ。

企業のイメージは思わぬことで傷つけられる。これが企業でなく個人だったら、悪夢だ。そんな事態を記録したドキュメンタリー『フィールズ・グッド・マン』を観た。

サンフランシスコに住むマット・フューリー（1979年生まれ）は中古おもちゃ屋で働きながらマンガ同人誌を作った。カエルのペペというキャラクターと友人の何でもない日常を描いたマンガで、ペペの口癖は「Feels good man（気分いいよ）」。いつもニコニコ笑顔を絶やさず優しいペペを友人たちは「作者のマットそのものだ」と言った。

ところが、マットがペペの絵をSNSに載せてから、ペペは作者の手を離れて独り歩きを始めた。誰かがそれを「4チャン」に転載した。4チャンは日本の「2ちゃんねる」に影響されて作られた匿名掲示板で、ペペはたちまちミームとなって広がった。ミームとは、ネットでウイルスのように拡散していく絵や写真。思わぬブームにマットは喜び、ペペのTシャツを作ることにした。450万円集めて3千着。しかし……。

4チャンのユーザーたちは自分たちで勝手にペペを描き始めた。オリジナルのペペは笑顔なのに、4

チャンでは悲しい顔に描かれた。親の家の地下室に引きこもって朝から晩までネットにのめりこむ孤独なキャラクターにされてしまった。そして「ノーミーたちが憎い！」というセリフを言わされた。ノーミーはノーマルの略で、普通に友人がいて、普通に恋愛して、普通に家庭を持つ人々のこと。マットもその一人だ。

2013年、マットは娘のためにぺぺの絵本を作った。いろんな動物が仲良く暮らす平和な世界の話だ。しかし、その直後、エリオット・ロジャーという青年がモテないことで世間を逆恨みして、無差別に6人殺す事件が起こり、彼に賛同する若者たちがぺぺをそのシンボルにした。

ぺぺはネットの中でテロリストやナチとして描かれるようになった。ＫＫＫの白いトンガリ帽子をかぶらされたり、ヒトラーみたいなチョビ髭をつけられて「ユダヤ人を殺せ」と言わされた。生みの親のマットにはもう止められなかった。

☆ トランプ支持者のマスコットに ☆

２０１５年にドナルド・トランプが大統領選への出馬を表明し、メキシコ系を強姦魔と呼んだり、イスラム系をテロリスト扱いすると、ネットでは面白半分でトランプを支持し、トランプの顔をぺぺに加工した絵が作られた。トランプの選挙アドバイザーはそれを宣伝に利用し、公式サイトがトランプ・ぺぺをツイートした。白人至上主義者たちが勝手に作ったぺぺのシャツやバッジを身につけてメディアに登場した。マットがせっかく作ったぺぺＴシャツは売れなくなってしまった。

２０１６年、トランプは大統領選に勝利した。マットの分身だったぺぺはとんでもない怪物になってしまった。２０１７年5月、マットはぺぺの葬儀をマンガに描いて発表した。マットが身を切る思いで心の友を葬っても、トランプ支持者たちは勝手にぺぺの本を出したり、ポスターにして売ったりした。マットはもう裁判に訴えるしかなかった。

「ぺぺはその人の心を映す鏡なんだ」

マットは言う。ぺぺがたどった運命はインターネットやＳＮＳの歴史とそっくりだ。ネットで世界はひとつになれると思われたが、差別や分断が暴走した。

先日もプラウドボーイズは首都ワシントンでトランプの勝利を信じる集会を開き、ホワイトハウス前でブラック・ライヴズ・マターのデモ隊に殴り込みをかけ、4人がナイフで刺される事態になった。その時、プラウドボーイズの先頭に立った5人はスコットランドの民族衣装であるキルト（スカート）を穿いていた。

「ファシストたちが我が社の製品を着ているのを見て吐き気がします」

そのキルトのメイカー、ヴェリラスはツイートした。

「LGBTQIA（レズビアン、ゲイ、バイセクシャルなど）が我が社を経営し、製品をデザインしています」プラウドボーイズは男尊女卑の復活も掲げている。そしてヴェリラスは反差別団体NAACPへの寄付を表明した。「ヘイトを愛に変えるためです」

日本では、大手化粧品メイカーDHCの会長が自社の公式サイトで「（ライバル企業の）サントリーのCMに起用されているタレントはどういうわけかほぼ全員がコリアン系の日本人です。そのためネットではチョントリーと揶揄されているようです」と無根拠な差別を書き散らし、謝罪する気配もない。コリアン系日本人だって日本人だよ！ Feels bad man！

庭付き一戸建てに住むシンプソンズは今や富裕層？

2021年1月21日号

2021年になった。還暦まであと1年。こわい。

還暦がこわくなったのは、小学校5年の頃、永井豪先生の『赤いチャンチャンコ』という漫画を読んだからだ。還暦を迎えるおじいちゃんが黒いちゃんちゃんこを着せられるのを恐れている。なぜなら、未来の日本では、老人が還暦になると石油を吸った黒いちゃんちゃんこを無理やり着せて火をつけて真っ赤に燃やして焼き殺すからだ。高齢化社会対策として。

今まで、いろんな人の年を追い越していった。35歳で『クレヨンしんちゃん』の父・野原ひろしを、41歳の春に天才バカボンのパパを、54歳でサザエさんの父波平を。『生きる』の志村喬も『東京物語』の笠智衆もとうに年下だ。

ホーマー・シンプソンも追い越した。今から22年前、アメリカに渡った頃、毎日テレビで観ていたアニメ『ザ・シンプソンズ』の主人公だ。シンプソン一家のホーム・コメディで、父ホーマーは39歳。これがとにかくダメ親父で、いつもカウチに座ってビール飲んで、馬鹿げた金儲け事業に騙されて、失敗ばかり。アメリカの庶民の現実をどんなドラマよりリアルに描いて国民的人気を得て、1989年から続いている長寿番組だ。

それから30年経った2020年、「シンプソン家の生活にはもう手が届かない」という記事が『アトランティック』誌に掲載された。書き手のダニ・アレクシス・リスカンプは子どもの頃、1990年代に『ザ・シンプソンズ』を観て育ったという。

「1996年のエピソードにはホーマー・シンプソンの給与明細が出てきます。週給479ドル60セント。年収2万5千ドルですね。それは当時のうちの収入とほとんど同じでした」

1996年のアメリカの世帯年収の中央値は3万4千ドル（当時の日本円に換算すると約350万円）だから、ホーマーの収入は中の下くらいになる。ホーマーは大学は出ていない。仕事は原子力発電所の職員。エンジニアではなく、簡単な仕事。妻マージは専業主婦。住んでいるのは中西部イリノイあたりの地方都市の郊外。広い庭付きの2階建て、ガレージには車が2台。子どもは3人で犬1匹。

「私の家も同じ収入で生活レベルも同じでした。90年代はそれが中流のちょっと下でした」リスカンプは言う。

それが現在、どう変わったか。

2020年のアメリカの世帯年収の中央値は6万8400ドル。1996年の約2倍になった。ところが住宅価格の中央値は11万ドルから28万ドルと2・5倍。保険料を含む医療費は3倍、大学の学費も2倍以上に上がった。また、IT系や金融など高学歴を必要とされる職業とそれ以外の職業との収入格差も大きく広がっている。今は、ホーマーのような職種で夫婦共働きなしでは、2階建ての家を持つことも、子ども3人を大学に行かせることも難しい。

コロナで状況はさらに悪化している。ホーマーは原発職員、つまりエッセンシャル・ワーカーなので仕事はあるが、レストランやホテル、アパレル、小売業、旅行関係、ショービジネスは壊滅的だ。その一方でITや金融はコロナで仕事に大きな影響がない。それどころか今年、株価は最高値を突破して上がり続けている。アメリカ人の5割が株を所有しているといわれ、コロナ禍で彼らの資産額は上がり、株を持ってない5割との格差はさらに大きく広がった。

日本はアメリカよりもっと悲惨だ。

アメリカ人の年収中央値が350万円だった1996年、日本のそれはなんと、500万円以上だったのだ。その後、どんどん下がり続け、2007年以降はずっと430万円前後をウロウロしている。

サザエさんの住む、世田谷の一戸建ての二世帯住宅は今なら2億円を超えるといわれ、庶民のはずの彼

"全員
富裕層"
ええ身分やのう
アウトレイジ
最新作
…またの名を
サザエ版「パージ」

らは富裕層にしか見えない。

『クレヨンしんちゃん』の野原家は埼玉県春日部だが、それでも、一戸建て、専業主婦、子ども2人、犬1匹、車1台の生活。これを35歳で維持している野原ひろしはけっしてダメ父ちゃんではない。生涯未婚率26%の日本では、結婚しているだけでじゅうぶん「勝ち組」なのだ。

☆ **新政府の手厚いコロナ対策** ☆

さて、アメリカでは年の瀬、12月27日にトランプ大統領が、コロナ禍の経済対策として下院の民主党が出した9千億ドル（約94兆円）規模の救済法案に署名した。

法案の肝は、春の1200ドルに続く

国民全員への一律給付第二弾。前回が1200ドル（子どもは500ドル）だったので、今回も民主党は1200ドルを要求したが、共和党に支配された上院が半分に減額した。これで年収7万5千ドル以下のすべての国民に600ドルずつ給付される。子ども2人の夫婦なら合計2400ドル（約26万円）になる。失業者に対しては毎週300ドルが3月まで支給される。副業の収入がなくなった人に対しても週100ドルが追加支給される。

倒産や解雇、給与支払停止の対策として、中小企業向け支援に3250億ドル。保育園や託児所に100億ドル、航空会社に150億ドル、空港関連に20億ドル、独立系の映画館や劇場に150億ドルを支援する。

そして、新型コロナウイルスの検査、追跡、感染抑制プログラムとして224億ドル。ワクチンの調達費として米生物医学先端研究開発局（BARDA）に200億ドル。ワクチンの配布費として90億ドル。

さらに1月20日に大統領に就任するジョー・バイデンは、追加支援を約束している。バイデンはトランプと違い、厳しいロックダウンによるコロナ抑え込みを提唱しており、そのためには政府からの休業補償は必須だ。バイデンは大統領就任式でも現場に来ないことを推奨している。

そのへん、日本はどうですか？　え？　オリンピックに追加予算？

「敗北は認めない!」トランプ支持者連邦議会を襲撃!

2021年1月28日号

「こんなこと、誰が予期しただろうか?」

1月6日の夜、CBSテレビでコメディアンのスティーヴン・コルベアが問いかけた。その日の昼間に首都ワシントンで数千人のトランプ支持者が連邦議会の議事堂に乱入したことについてだ。

「誰もが知ってたさ」

去年11月3日の大統領選挙の前から、トランプは「自分が選挙に負けたなら不正のせいだ。最後まで戦う」と、平和的な政権移譲を否定していたからだ。

民主党のジョー・バイデン勝利という結果が出た後も、それを不正だとする訴訟を50件以上も起こし、すべて「根拠なし」とされて棄却された。自分が負けた激戦州の知事や州務長官に結果を覆すよう電話で圧力をかけて、すべて拒否された。

その間、トランプ支持者は苛立ちを募らせ、各州の選挙管理委員会に押しかけ、脅迫した。ジョージア州の選挙管理官ガブリエル・スターリングも命を脅かされ、「大統領閣下、暴力を煽るのをやめてください。このままでは誰かが傷つき、撃たれ、殺されるでしょう」と訴えた。

彼の危惧は的中した。

1月6日に連邦議会では、選挙結果の最終的な承認が行われる。それは本来、形式的な儀式で、上院議長を務めるペンス副大統領の役割は「アカデミー賞授賞式で封筒を開けるプレゼンター」と同じはずだった。ところがトランプは「副大統領は集計結果を認定しない権限がある」とツイートしてペンスに卓袱台返しを期待した。ペンスは「いいえ、私にそんな権限はありません」と当たり前の答えを返した。トランプ、万策尽きた。

1月6日の朝、ホワイトハウス前には数千人のトランプ支持者が全米から集まった。もうすぐ議会で最終的な承認が始まる。トランプは支持者に言った。

「地獄のように戦え。でないと国を失うぞ。さあ、議会に行け」

その言葉に従って彼らはトランプの旗を振りながら議事堂に押し寄せた。オレンジのニット帽をかぶった極右集団プラウドボーイズがシュプレヒコールを始めた。

「突入するぞ!」

世界中がドン引きする光景なんて
ジャミロクワイじゃないよーー
ひゃっは
ッ
現実がフィクションを超えた4年間…
そのクライマックスがコレ。
パーカー率が高い…
TRUMP
一生のうちにそう見られるもんじゃない

議会を警備する警官隊は少なかった。数千のトランプ支持者にバリケードは簡単に突破された。その際に数十名の警官が負傷し、消火器を頭部に投げつけられたブライアン・シクニック氏は翌日亡くなった。大統領に煽動された暴徒が議会を守る警官を殺したのだ。

議事堂の入口には鍵がかかっていたが、支持者たちは窓を破り、内部に不法侵入した。その際、入ろうとした女性が警官に撃たれて死亡した。彼女はアシュリ・バビットというQアノン（トランプを救世主だと信じる陰謀論者）として有名な人物だった。

下院議長ナンシー・ペロシはトランプに「暴徒を止めてください」と呼びかけ

続けたがトランプは反応しなかった。

議会内に入り込んだトランプ支持者たちは「ペンスはどこだ！」と叫んだが、議員たちは地下の避難所に逃げ込んでしまった。

そこで暴徒たちは、我が物顔で議事堂を荒らし始め、自分たちの違法行為をインスタに上げた。アーカンソーから来た極右活動家リチャード・バーネットはペロシ議長の執務室に落書きをした。フロリダから来たアダム・ジョンソンは下院の演台を、テキサスから来たジェニー・カッドは議長の槌を盗んだ。連邦政府の財産の略奪だ。白人至上主義者のベイクド・アラスカは動画配信を始めた。南軍の旗を掲げる者もいた。南北戦争でも陥落しなかった連邦議会がトランプ支持者の手に堕ちたのだ。バッファローの毛皮をかぶった半裸の男が議会を闊歩する光景は、この世の終わりとしか思えなかった。

しばらく経ってやっとトランプはツイッターで支持者に「家に帰りなさい」と呼びかけた。「君らを愛してる。君らは特別だ。愛国者だ。決して忘れないよ」と優しく。この直後、ツイッター社はトランプのアカウントを凍結した。

侵入者は悠々と退出したが、後にＦＢＩに写真や映像で特定された。ネオナチや白人至上主義者、Ｑアノンなどネトウヨ・オールスターだった。

☆ もしBLMだったら ☆

ま、とにかくアメリカの議会制民主主義にとって最悪の日だった。

「(民主主義は)暴力によって勝利することはできない」

議会に戻ったペンスは怒りに声を震わせながら宣言した。翌朝までに上下院はバイデンの勝利を正式に承認した。すべては終わった。

ペンスは国防総省と軍に連絡し、治安維持のため州兵出動を手配した。トランプ抜きで。

ペロシ議長は、憲法修正25条によりトランプから大統領としての権限を剝奪するよう求めた。閣僚の過半数の同意があれば副大統領は大統領の権限停止を宣言できる。また、民主党は暴動の煽動でトランプを弾劾する準備を始めた。

あわてたトランプは1月7日午後に凍結が解けたツイッターで「バイデンの新政権が20日に発足する。円滑で秩序立った政権移行に集中する」と任期終了13日前にやっと事実上の敗北宣言をした。「選挙は不正だが」と言いながらも議会の乱入について「悪質だ。私は暴力と無法に憤っている。民主主義の象徴たる議会を辱めた」と批難した。昨日、支持者に「議会に行け!」って煽ったのに。

バイデンは、警官がトランプ支持者の乱入を許したことを批判している。「彼らがブラック・ライヴズ・マターだったら違う対応をしていたはずだ」

皆殺しにしていただろう。

働き者の父さんがトランプ信者になり議会に乱入するまで

2021年2月4日号

1月6日、大統領選挙におけるバイデン勝利の承認を妨害するため、トランプ支持者が議会に乱入した事件で、FBIはすでに100人以上を連邦の財産への侵害で逮捕した。

議会警備の警察官ブライアン・シクニックの頭に消火器を投げつけて死なせた犯人も逮捕された。ペンシルヴェニア州のロバート・サンフォード(55歳)。なんと元消防士だった。

乱入犯たちの特定は早かった。トランピストはマスクをしないから、顔は丸見えだったし、自分たちでスマホで写真を撮り、ネットに上げていたからだ。

彼らの多くには違法行為との認識がなかった。

今回の事件でいちばん有名になったのはバッファローの毛皮をかぶって議会に入ったジェイク・アンジェリ（33歳）。写真を見たトランプ支持派の弁護士リン・ウッドから「極左活動家アンティファだ」と決めつけられたが、すぐに本人がツイッターで「僕はQアノン（トランプを救世主と信じる陰謀論者）です！」と堂々反論したので、身元が確認され逮捕、アリゾナで拘置された。アンジェリの母は記者会見で涙ながらに「うちの子はオーガニック・フードしか食べられないんです。拘置所で飢えてしまいます」と訴え、特別にオーガニックな食事が与えられた。甘ったれんなよ。

アンジェリは俳優志願だが特に仕事はなかったらしい。議員の誰かを拘禁しようと、ナイロン手錠を持って議場をうろついていたエリック・マンチェル（30歳）も無職だった。ナッシュビルのバーの従業員だったが、2カ月前にクビになったのだ。当日は母親の運転する自動車で首都ワシントンまで送ってもらい、乱入した後、また母の車で家に帰った。幼稚園児かよ！

逮捕者のなかには、オリンピック選手の服を着ている者もいた。彼は2004年のアテネ大会と2008年の北京大会で金メダルを取った水泳選手クリート・ケラーだと判明した。ケラーは2014年、ホームレス金メダリストとして発見された。離婚ですべてを失い、子どもの養育費も払えず、中古のフォードを家にして、スーパーの駐車場で夜を過ごす生活を一年も続けていた。その後、不動産会社に就職して働いていると報じられたが、この逮捕で解雇されるかもしれない。彼らはなぜトランプの嘘に騙され、こんな事件を起こしてしまったのか。

☆　神は答えなかった　☆

ウォールストリート・ジャーナル紙は、乱入で逮捕された一人、バージニア州に住むダグ・スイート（58歳）にインタビューし、善良な労働者が暴徒になるまでの人生を語らせた。

ダグの父はNASAのエンジニアだったが、彼が高校生の頃に亡くなり、ダグは高校を出ると造船所で働き始めた。造園、牡蠣の養殖場でも働いた。

結婚して二人の娘に恵まれたが、妻はすぐに家を出た。娘を育てるため、昼も夜も働いた。

厳しい生活のなかでダグは荒れていった。弟を殴って訴えられた。14歳の娘ロビンを叩いた時は有罪で執行猶予6カ月になった。

「父は頑張ってたけど、うまくいきませんでした」

成人したロビンはウォールストリート・ジャーナルのインタビューに答えて言う。娘たちが家を出て、ダグは一人になった。チェサピーク湾に浮かぶ小島に孤独に暮らした。話し相手はラブラドールのジェンキンズだけ。

2008年、オバマが史上初の黒人大統領になった。「やつはこの国を壊そうとしている」他の多くの白人労働者と同じことをダグは思った。逆に2016年に大統領になったトランプについては「この国を守ろうとしている」と思った。

トランプ親分が必ず恩赦してくれる・・・
ダグ・スイートさん
きっと今に…
絶対に…

２０１７年、彼の住むバージニア州シャーロッツビルで、南軍のリー将軍の銅像が撤去されることになり、それに反対して右翼やネオナチ、白人至上主義者が集まり、地元住民を車で轢き殺した。ダグは南軍の銅像を守る市民グループに参加した。そこから彼の政治活動が始まった。トランプのツイッターをフォローし、Qアノンの陰謀論を信じるようになった。

「ヒラリーは若さを保つために子どもを食べてるんだ」

そう語るダグは今度の選挙もトランプの言う通り不正だと信じている。特に根拠はないが。

「パパは別の人になってしまいました」

長女ロビンは言う。「他の白人の中年男性たちと同じように」

「娘は黒人の子どもたちを助ける仕事をしてるから、ブラック・ライヴズ・マターとやらにかぶれちまったのさ」

そして1月6日朝、連邦議会がバイデン勝利を承認する日、首都ワシントンのホワイトハウス前に集まった数千の群衆のなかにダグはいた。

ダグたちが議会に着くと、すでに戦場だった。数少ない警官隊は暴徒に突破され、ダグは周囲に押されながら議事堂の入口にいた。

「心のなかで神に尋ねた。入っていいですか?」

それは最後のチャンスだった。だが、神は答えなかった。「議事堂の中に入った時、自分の声が政府に届いた感じがした」

それは勘違いだった。ダグは逮捕され、最悪20年の刑になる可能性がある。

トランプは翌日、「暴力は許されない」と語るビデオをツイートした。乱入の煽動で憲法修正25条により大統領の権限を停止される恐れが出てきたから、支持者たちを切り捨て始めたのだ。

それでもトランプの恩赦を期待するダグは言う。

「1月20日のバイデン就任式には誰かが何かしてくれるはずだ」

ＦＢＩはトランプ支持者による就任式襲撃を警戒している。

バイデン大統領就任 Qアノンが信じた「嵐」は来たらず！

2021年2月11日号

1月20日朝、首都ワシントンの連邦議会議事堂のテラスで、ジョー・バイデンの大統領就任式が行われた。

議事堂前の広場には通常ならば全米から集まった一般客があふれるのだが、今年はコロナのため、人の代わりに星条旗が立ち並んだ。さらに2万5千人の州兵が議事堂からホワイトハウスまでの警備に動員された。テロに備えて。

2週間前の1月6日、バイデン勝利の認定を阻止せんと数千のトランプ支持者が議事堂に乱入した。認定は阻止できなかったが、就任式は今度こそ粉砕されるはずとトランプ支持者、特に狂信的な「Qアノン」たちは信じていた。

Qアノンとは、「匿名Q」を名乗る

ネット掲示板の書き込みから始まった陰謀論者たちで、彼らはトランプはディープステートという闇の帝国と戦う救世主だと信じている。ディープステートとは、アメリカのリベラル・エリートと人権運動家とユダヤの国際資本と中国共産党と小児性愛者と人身売買組織と悪魔崇拝者が手を組んだ同盟だそうだ。あまりに無茶な組み合わせなので、闇の帝国というより、闇鍋みたいだが、公共放送NPRの調べでは、アメリカ人の17%がQアノンの主張を信じているという。

11月の大統領選挙で負けたトランプが「この選挙は不正だ」と主張すると、Qアノンはそれを信じて過激化し、トランプはそれを利用した。議会に乱入した暴徒にも「Q」の文字が書かれた服を着た者が多かった。

ツイッターは7万におよぶQアノンのアカウントを停止、フェイスブックもQアノン関係の6万ページを削除した。だが、Qアノンはパーラーやギャブ、テレグラムといったアングラなSNSに潜り、さらに陰謀論をこじらせていった。

そこでQアノンの人びとは「就任式にはストーム（嵐）が来る」と信じるようになった。トランプが戒厳令を発して、軍を率いてバイデンや民主党員を逮捕し、第二次トランプ政権に移行するプラン（計画）、それがストームだという。

就任式当日、ニューヨーク・タイムズのコラムニスト、ケヴィン・ルースはQアノンのSNSを覗いて、彼らのわくわくぶりをツイッターで中継した。

朝、12万人からフォローされるQアノン、デイヴ・ヘイズは暗雲の写真を投稿した。ストームが来る！　トランプ逆襲の時だ！

式が始まるまでに雲は去った。何も起こらない。ネットのQアノンたちは焦り始めた。

「ストームは？」

「あきらめないで、プランを信じて！」

何事もなくバイデンは宣誓し、第46代大統領に就任した。

「トランプに騙された」

「私がバカだった」

「もう何を信じていいのかわからない」

Qアノン掲示板の管理人ロン・ワトキンスですら終結を宣言した。

「私たちはすべてを捧げてきました。これからは自分の人生のためにできることをしましょう。次の大統領が就任した今、我々市民の義務は、個々の意見の違いを乗り越えて、憲法に従うことです。共に戦った幸福な日々は忘れないでください」

いや、そんな、クラブ活動みたいに爽やかな思い出にされても。議事堂乱入ですでに数百人が逮捕されてるし。次々に逮捕されているのは、乱入時にスマホで記念写真を撮って、自分でネットに投稿しているから。そんなマヌケなことをしたのは、罪を犯している自覚がまるでなかったのか、トランプが自分たちを恩赦してくれると信じていたんだろう。

☆ アメリカの融和こそ最大の課題 ☆

Qアノンは、ストームでディープステートの存在に人々が目覚める「大覚醒時代」が訪れると信じていた。この「大覚醒時代」という言葉は本来、18世紀からアメリカで4回起こったキリスト教復興運動を意味する。そう、Qアノンはほとんど宗教、カルトなのだ。

議事堂乱入で最も有名になった半裸にバッファローの毛皮をかぶったジェイク・アンジェリ（33歳）は、先住民みたいに踊ってQに祈りを捧げるので、Qアノン・シャーマン（祈禱師）と呼ばれていた。祈禱だよ、祈禱。これはもう政治運動じゃない。まじないとか魔法の類。だから不正投票なんて嘘なんだと証拠を見せて論理的にいくら説得しても聞く耳持つわけない。

もちろんロン・ワトキンスのようにハッと正気に戻る人もいるだろうが、こんな投稿もある。

「私はあきらめない。私には信仰がある。私は神が勝つと信じている」

彼はQアノン以外の意見や情報に目や耳を塞ぎ続けるだろう。特にアングラSNSの閉じた関係の内側では諭してくれる人はいない。陰謀論はこだまし、さらに過激化し、現実から乖離していくだろう。行き場を失ったQアノンを白人至上主義団体が取り込もうとしているという報道もある。

就任式の演説でバイデン大統領はUnity（団結）という言葉を8回も繰り返し、分断されたアメリカの融和こそが最大の課題だと訴えた。それはカルトにハマった信者の洗脳を解くのと同じだ。

バイデンはCivil War（南北戦争）をもじって「このUncivil Warを終わらせなくては」と言った。Civilは「市民」の意味の他に「礼儀正しい」「文明化された」という意味もある。Uncivilはまさに話が通じないQアノンにふさわしい。

何より、今の連邦下院議会にはQアノンとして当選した議員が二人もいて、彼女たちはさっそくバイデンを不正選挙で弾劾すると言っている。

「意見が違うのが民主主義です。私は異議を聞きます」というバイデンの歩み寄りは報われるだろうか。

少年政治キャンプで二大政党制の長所と短所がわかる

2021年2月18日号

『ボーイズ・ステイト』という映画を観た。米国在郷軍人会が主催する青少年キャンプを記録したドキュメンタリー。各州で千人の高校2年生の男子が一週間、共同生活をしながら、二大政党を作り、州政府を作る。つまり高校生に政党政治のシミュレーションをさせるのだ。「ボーイズ・ステイト」は「少年たちの州」という意味で、女の子だけのガールズ・ステイトもある。

ボーイズ・ステイトは1935年から続いており、ビル・クリントン元大統領、ディック・チェイニー元副大統領などが高校時代に参加した。単に子どもの政治ごっこではなく、2017年には、テキサス州のボーイズ・ステイトで決議された合衆国からの離脱案が全米のニュースになった。

そのテキサスのボーイズ・ステイトが映画の舞台。面接で選ばれた千人が夏休みにテキサス大学に集まり、そこでランダムに500人ずつ、連邦党と国民党という二大政党に分けられる。この政党は名前だけで、ポリシーは決まってない。党の綱領は自分たちで決める。次に各党の予備選で州知事候補を決め、最後は選挙で州知事を決める。

党の綱領案を決める会議で出てくるのは、「銃の所有権保護」「中絶の禁止」「不法移民取り締まり」など保守的な意見ばかり。さすが保守王国テキサス。参加者も9割は白人だ。

映画は4人の少年にフォーカスする。

連邦党のベンはレーガン元大統領を尊敬する自称「政治オタク」。幼いころの火傷で両脚を失い、片腕も半分しかないが、決して障害を言い訳にはせず「アメリカは自助努力の国だ」と語るゴリゴリの共和党ボーイ。州知事の参謀、委員長になる。

国民党のスティーヴンはメキシコからの不法移民の子。貧しく育ち、家族の中で高校2年まで進学できたのは彼だけ。アメリカン・ドリームを信じ、社会主義者バーニー・サンダースを支持し、彼の選挙キャンペーンのボランティアもした、未来の民主党員。州知事に立候補する。

同じく国民党のロバートは陽気な人気者の白人。彼も共和党でペイジ（少年研修生）をしたことがあり、陸軍士官学校を目指している。州知事に立候補する。

やはり国民党のレネは珍しい黒人。しかもゲイ。テキサスではマイノリティだが、頭が切れ、国民党の委員長になる。ここで描かれる選挙戦はまったく現実のミニチュアだ。

ロバートは演説で中絶の恐ろしさを主張するが、舞台裏でこっそり「僕自身は中絶禁止論者じゃない」と告白する。「でもテキサスは保守的だから、禁止だと言わないと選挙に勝てない。選挙に出てみて、政治家がなぜ嘘をつくのかわかる気がする」

逆にスティーヴンは「恐怖よりも希望を」と理想を訴える。彼の誠実さは支持を集め、予備選を勝ち抜く。

真っすぐに語り、人の心をつかむスティーヴンに脅威を感じたベンは、ネガティブキャンペーンを始める。実はスティーヴンは、2018年にフロリダの高校で乱射事件があった後、銃所持の規制強化を求める高校生デモの先頭に立っていた。ベンはその写真をネットにばらまいた。テキサスで銃規制に賛成したら、政治生命が終わったも同じだ。

☆　シュワルツェネッガーのメッセージ　☆

『ボーイズ・ステイト』は二大政党制の長所と短所がよくわかる。二大政党が拮抗すると常に政権交代の可能性があり、独裁が起こりにくい。だが、個々の意見は多数決にまとめられてしまう。高校生たちはランダムに二つに分けられただけなのに、いつしか他党を憎み、汚い中傷もし、自党を守るために意見も曲

シュワルツェネッガーと ペットたち
新入りダッチ（ダッチの名前は「プレデター」で自身が演じた主人公から）
Tシャツ買って！
テリアのチェリーとミニチュアホースのウィスキー
ロバのルル
DON'T BE AN

げ、人々を分断する。
「政党は、狡猾で野心的で無節操な者たちが人権を侵害し、政権を握るための道具になりがちだ」
それは『ボーイズ・ステイト』の冒頭で引用されるジョージ・ワシントンの言葉だ。初代大統領ワシントンは政党政治に反対で、「政権を奪取した政党は、前政権に対して復讐をするようになる」とも言った。
今、本物の連邦議会では上下院を制した民主党による復讐ともいえるトランプ前大統領弾劾が続いている。1月6日、トランプ支持者に乱入された議会では政党の違いを超えて、バイデン新大統領を承認したのだが、トランプ弾劾には共和党は抵抗している。弾劾に必要な議会の3分の2、つまり共和党から17人の賛成は難しい。「議会襲撃はトランプが扇動した」と言った共和党のミッチ・マコネル上院院内総務も弾劾に反対している。

なにしろ、トランプ支持者は共和党支持者の半分を占める。弾劾に賛成したら、約2年後の中間選挙でトランプ支持者の票を失ってしまう。やはり議会襲撃でトランプの扇動を責めていた共和党の下院院内総務ケヴィン・マッカーシーはすでにフロリダのトランプの別荘を訪れて、次回の選挙への協力を依頼した。シュワルツェネッガーは共和党へのビデオ・メッセージで「自分の選挙よりも、党よりも、大義のために戦え」と訴えたが、無駄だったようだ。

『ボーイズ・ステイト』は、中傷キャンペーンで選挙に勝ったベンの独白で終わる。「政治的にもモラル的にも後悔してないよ。とにかく勝ったからさ。神様は何と言うかわからないけど」

安眠枕で成功した社長トランプ勝利を信じて陰謀論を撒き散らす

2021年2月25日号

出たがり社長はどこにでもいる。アメリカでも、昼間のテレビは通販CMばかりで、包丁セットやスマホ・ホルダーや野菜の水切りやらのアイデア商品を、それを発明して会社を起こした社長たちが宣伝している。

マイピローという安眠枕を売るマイク・リンデル（1961年生まれ）もその一人。マイピローは大中小に切り分けたウレタンフォームを詰めた枕で首を支えるという商品。

リンデルは70年代のポルノ映画に出てきそうなタワシ状の口ひげがトレードマークで、「健康は安眠から！　マイピローは不眠症、頭痛、いびきに効果的です！」と神がかりめいた熱狂的な口調で売り込む。その胸元には十字架がキラリ。アメリカ人なら、彼の名前を知らなくても、マイピロー・ガイの顔は知っている。

リンデルはミネソタ大学を中退した後、養豚場、カーペット・クリーニング、フードトラック、バー経営などを経て、ラスヴェガスでギャンブラーを目指したこともあったが、どれもうまくいかなかった。43歳になった2004年、夢のお告げでマイピローのアイデアが閃いた。借金して起業したものの、リンデルはクラック・コカインに溺れた。妻には逃げられ、借金を抱え、売人を求めて街をさまよった。そのボロボロの姿を見るに見かねた売人が彼をリハビリ施設に入れた。

アメリカの依存症リハビリ・プログラムはキリスト教福音派によって運営されている。リンデルは依存症から立ち直り、神に目覚めた。よくあるパターンだ。

神の御加護か、伝道師仕込みのセールス・トークの力か、マイピローはTV通販で爆発的に成功し、2011年から現在まで3千万個を売ったという。

300億円といわれる富を築いたリンデルは映画ビジネスに乗り出し、2019年には人工中絶反対のプロパガンダ映画『アンプランド』を製作。全米のキリスト教福音派を動員して、そこそこヒットした。

リンデルは政治にも乗り出した。2016年の大統領選挙でトランプに寄付し、支援集会も主催した。

「彼に会った時、神に選ばれし者と思ったんだ」

リンデルのような福音派は、トランプが中絶や同性婚に反対してくれるから、という理由だけで、教会

にも行かないし、聖書も読まないトランプを支持した。

トランプはリンデルに感謝し、ホワイトハウスにも呼んだ。

保守系テレビ局FOXニュースの番組内の問題発言でスポンサーが降りると、その莫大な財力で、リンデルは大量のCMをぶち込んで番組を支えた。

2020年、コロナ禍になると、マイピロー工場で政府からマスク生産も受注した。そして、2022年のミネソタ州知事選に出馬する準備を進めた。

そのいっぽう、商売に陰りが見え始めた。マイピローのCMで「睡眠時無呼吸症候群」や「線維筋痛症」に効能がある、と何の裏付けもなく宣伝したので誇大広告で訴えられ、100万ドルの罰金を命じられた。

「今なら89・97ドルでマイピローをひとつ買えば、もうひとつ無料でついてきます！」とCMして、ひとつの定価が60〜70ドルだからウソじゃないかと指摘され、通販の信用度の格付けがF（失格）とされた。

2020年の大統領選挙で、リンデルは莫大な寄付をトランプに注ぎ込んだが、落選した。

☆「陰謀論」を叫び続ける経営者☆

「この選挙には不正があった。本当の次期大統領はトランプだ」

リンデルはツイートし続けた。

1月6日、次期大統領の認定を妨害しようとトランプ支持者が連邦議会を襲撃した時も、さすがに乱入はしなかったが、リンデルも現場からSNSで中継した。乱入を受けて、ダウ・ジョーンズなどの大企業はバイデン認定を拒否した共和党議員への寄付を取りやめた。そしてリンデルが議会のデモに参加したことがわかると、大手デパートや小売店がマイピローの扱いを取りやめた。もちろん消費者の苦情を恐れてだ。

それでもリンデルは「バイデンの就任を阻止するため、トランプが戒厳令を発布して、軍で政権を奪回し、民主党員たちを反逆罪で逮捕する」という陰謀論をツイートし続けた。ツイッター本社は他の陰謀論者7万人、およびトランプと同様にリンデルのツイッター・アカウントを永久停止した。

2月2日、リンデルは新興の保守系ニュース・チャンネル「ニュースマックス」にゲスト出演した。リンデルは大口のスポンサーだった。ツイッターを永久停止された件について尋ねられたリンデルは「不正投票のせいだ。ドミニオン社の集計マシンがトランプ票をバイデン票に書き換えたんだ！」と言い始めた。その陰謀論はニュースマックスでも語られていたものだ。ところが司会のボブ・セラーズは「不正投票なんて何の証拠もありません」とリンデルを遮った。「ニュースマックスは選挙の結果を受け入れます」

実はドミニオンは不正を主張したニュースマックスや、トランプの弁護士ジュリアーニたちを、10億ドル規模の賠償を求めて提訴したのだ。

「不正選挙が……」叫び続けるリンデルを無視して、セラーズは「プロデューサーと相談するので失礼します」と退席してしまった。

マイピローは今、アメリカのお笑い番組でさんざんネタにされている。

日本にもDHC会長とかリンデルと似たような経営者がいる。けど、いっぱい広告出してるから、メディアは絶対批判しないね！

二度目の弾劾裁判
共和党は議会を襲った
トランプをなぜ赦す

2021年3月4日号

1月6日の議会乱入を扇動したトランプ前大統領の弾劾裁判が上院で始まった。歴代大統領で初の2度目の弾劾、初の退任後の弾劾だ。

1日目は、すでに1月20日に退任した大統領を弾劾するのは合憲か？　という議論から始まった。弾劾管理人のジェイミー・ラスキン下院議員は憲法学者の立場から前例を挙げた。アメリカの法制度の原型になったイギリスで、1787年に初代インド総督のウォーレン・ヘイスティングスが解任された後に弾劾された例などを挙げた。アメリカでも1797年にウィリアム・ブラント上院議員が当時の敵国イギリスに協力した罪で解任後に弾劾、1876年にはウィリアム・

ベルナップ陸軍長官が収賄で辞任後に、弾劾されている（いずれも無罪）。

「解任後は弾劾できないとなれば、解任間際なら何をしても許されてしまう」とラスキン議員が説明する。

当日の朝、トランプのツイートに応えて全米から集まった支持者たちにトランプは演説した。「弱くてはこの国は奪い返せない。諸君らの強さを見せてやれ！」

証拠としてビデオが上映された。議会を警備する警官の胸につけられたカメラの記録だ。暴徒が警官に暴行を加えながら叫ぶ。

「俺たちゃトランプの命令でやってんだ、お前の親分だぜ！」

議会乱入で5人が亡くなった。警官の1人は頭部に消火器をぶつけられ殉職した。2人の警官はその後自殺した。彼らに対してトランプはいまだ謝罪も何もしていない。

「これで弾劾されないなら、何で弾劾されると言うのでしょう」ラスキン議員が問いかけた。

トランプ側の弁護士ブルース・カスターは「トランプの演説は言論の自由だ」と反論。「もしトランプのしたことが罪だというなら逮捕すりゃいいじゃないか」

あのさ、大統領には不逮捕特権があるから弾劾してるんだけど。あ、今はもう大統領じゃないから逮捕すりゃいいんだ。弾劾するのは、二度と大統領に立候補できなくするためだ。トランプは2024年の大統領選に再出馬する気だ。「この事態を未来に繰り返してはならない」ラスキンは訴える。

1日目の最後に投票。弾劾裁判を合憲としたのは民主党議員50人全員と、共和党から6人。100人中

56人の過半数なので弾劾裁判は始まるが、トランプを有罪とするには3分の2の67票が必要。つまり共和党から17人が造反しないとならない。すでに共和党は、トランプ弾劾に賛成したリズ・チェイニー下院議員を問責しており、党議拘束がきつく、このままだと弾劾はできない。

2日目、ステイシー・プラスケット弾劾管理人が登場。彼女はバージン諸島の「代議員」。プエルトリコやサモア島などのアメリカ領も連邦議会に代表を送っているが投票権がないので「代議員」と呼ばれている。だがプラスケットはこの日のスターだった。なにしろブルーのケープ付きドレスとマスクのコーデが超カッコよくて！

彼女が見せた当日の時系列のビデオは強烈だった。

まずトランプがツイートでペンス副大統領にバイデン勝利の承認を止めるよう命じる。ペンスは「私は義務を果たすだけ」と命令を拒否。暴徒が「ペンスを吊るせ！」と叫びながら議会に突入。議場ではペンスがシークレットサービスに誘導されて避難開始。金属バットなどを持った暴徒が「ペンスはどこだ？」と叫びながら議会内を走る。間一髪で地下に潜るペンスと共に、空軍士官が核ミサイルの発射ボタンを持って同行する。ちょっと間違ったらそのボタンも暴徒に奪われていたかもしれない。

☆ トランプに乗っ取られた共和党 ☆

「私は2001年の9月11日にもこの議事堂に勤務していました」プラスケット代議員は語る。「あの日、

※
ブルーのケープ付き
ドレスと
マスクのコーデ
$185
!
ステイシー
・プラス
ケット
袖とケープが
一体化した
デザイン
共布
のベルト

ユナイテッド航空93便をハイジャックしたテロリストはこの議事堂に突っ込もうとしていました。しかし、40人の乗客はそれを阻止して飛行機を山の中に墜落させました。彼らが命を捨てて守った議会が大統領によって破壊されたのです」

乱入したトランプ支持者たちは議会の廊下に大小便をぶちまけた。憲法と民主主義の殿堂に！

そこまで尊厳を傷つけられても共和党議員17人がトランプ弾劾に票を投じることはなかった。

ただ選挙のためだ。共和党支持者の7割が弾劾に反対している。彼らの票を失うわけにはいかない。

結局、弾劾に賛成票を投じた共和党の

上院議員は7人だけ。彼らはトランプの人気がない選挙区の議員ばかりだ。たとえばスーザン・コリンズ上院議員の選挙区はメイン州。トランプの人気が無い土地だから弾劾に賛成したほうが有利。リサ・マコウスキーはアラスカ州で、ここもトランプ人気は高くない。他に弾劾に賛成しているリチャード・バーとパット・トゥーメイは引退を決めている。

ミット・ロムニーはモルモン教のトランプ支持者が多いユタ州の議員だが、弾劾に賛成した。彼には落選のリスクを冒してでもトランプを許せない理由がある。2012年の大統領選でオバマに挑んで惨敗したロムニーをトランプは「負け犬」と呼んだ。そして、議会乱入時にはもう少しでトランプ支持者に襲われるところだった。

弾劾は共和党がトランプによる乗っ取りを阻止する最後のチャンスだったが、議員たちは保身を取った。もはや共和党はトランプ党になった。

今、120人の共和党員が党を脱退して、第三党を結成する動きがあると報じられている。真の保守主義に回帰する党になるという。党名は未定。シン・共和党かな？

零下19度の寒波！ 700人が死んだ テキサスのひどい政治

2021年3月11日号

アメリカを史上空前の大寒波が襲っている。

ポーラー・ヴォルテックス（極渦）という、北極を渦巻いている低温の空気が南に流れ込んだためで、いつもは温暖なアメリカ南部がアラスカよりも気温が下がる異常事態になっている。

特にひどいのがテキサスで、観測史上最低のマイナス18・89度を記録し、全域で大雪注意警報が出た。ハトや飼い犬も凍死。寒さで動けなくなったウミガメ数千匹が海岸に打ち上げられ、ニュースを見ると道行く人は充分な防寒具がないのか体に毛布を巻き付けている。

この寒さですでに20人以上が亡くなっている。死亡原因は様々で、まず交通事故。路面の凍結なんて想定外だからスノータイヤなんか売ってもいない。130台を超える車が玉突き衝突して、少なくとも9人が死亡。

発電所は寒さで機能を停止し、液化天然ガスのパイプも凍結。水道管も凍結して破裂。

一時は450万以上の住宅とオフィスが電力やガスや水道を失い、人々は暖を取ろうとして室内でプロパンガス式のバーベキュー台や、ガソリン駆動の発電機などを使ったりしているが、慣れてないので換気を忘れて一酸化炭素中毒で倒れている。

この事態は衝撃だ。なぜならテキサスはアメリカのエネルギーの中心と言われていたから。

テキサスは原油と天然ガスの採掘量が全米でトップ。その有り余る資源を発電に利用するので、アメリカの電力供給網からテキサスだけが独立している。つまり電線が他の州とつながってない。それが仇になった。電力が不足しても、他から援助を受けられないのだ。

テキサス州知事グレッグ・アボット（共和党）は、FOXニュース・チャンネルに出演して、テキサスの電力不足はエコなエネルギーに頼りすぎたせいだと主張した。

「テキサスの風力発電と太陽光発電は寒さで停止しています」

風車は凍り付いて動かず、ソーラーはお日様が差さないから機能していない。

「これがグリーン・ニューディールの結果です」

グリーン・ニューディールとは、地球温暖化の原因となるCO2（二酸化炭素）を排出する石油、石炭、

ハイ、日本の勝ちーーー
橋本さんは男みたいだからセクハラじゃない
地方行政に生意気は言わせん！
竹下
ボランティアの代わりなんていくらでもいるわ！
わきまえろや！
森
二階
だってあいつらのは全部無意識の発言だもん…
グレッグ・アボット
テッド・クルーズ
ティム・ボイド
失言の連鎖・日米対決

天然ガスなどの化石燃料産業を縮小し、クリーンな風力や太陽光に移行しようとする政策で、民主党左派が主張している。「だから化石燃料も必要なんです」アボット知事は言う。でも、彼の言うことはデタラメだ。

風力と太陽光発電は、テキサス全体の発電量の4分の1程度でしかない。最も多いのは天然ガス発電で40%、石炭が18%、原子力が11%。今回、原発の一つも極寒のため停止した。

アボット知事はテキサスの地場産業である石油・天然ガス業界の利益を守る立場である。また、他の共和党議員と同じく、地球温暖化の原因が化石燃料であるという説を否定している。

だが、そもそもこの寒さの原因は地球温暖化なのだ。

極渦は通常、北極の外側を周回するジェット気流に閉じ込められている。だが、近年、北極の気温は、地球上の他の地域の倍のスピードで上昇している。北極と他の地域の温度差が縮まると気圧の差も縮まり、その気圧差が原因で発生しているジェット気流も弱まり、大きく蛇行し始める。そして現在、ジェット気流はアメリカの南部まで大きく伸びてしまい、そこまで極渦が吹き込んでいるのだ。

筆者の住んでいるカリフォルニアは運よくこの極渦の外側にあるが、夏は温暖化のための異常乾燥とフェーン現象で山火事が起きやすくなる。電力の使用量が増えると電線が過熱し、枯葉や枝に触れただけで引火する。火災を防ぐために計画停電が行われる。しかし、地球温暖化を否定している人には、その停電の必要性がわからない。テキサスの上院議員テッド・クルーズ（共和党）は「カリフォルニアの停電を民主党は全米に広げようとしている」とトンチンカンな批判をした。

☆共和党のひどい政治家たち☆

クルーズはトランプが議会乱入を扇動したのを擁護したりして叩かれているが、この寒波の最中にやらかした。「極寒で危険なので、できるだけ自宅にいてください」とツイートで州民に呼びかけた直後、こっそり家族を連れて南国メキシコのリゾート地カンクンに避難しようとしたのだ。彼は飛行機の中で発見され、ネットで拡散され、「有権者が暗闇で凍えてるのに、自分だけ南国でぬくぬくするのか！」と州民の怒りが沸騰。「いや、娘がメキシコ行きたいって言うんで、付き添っただけです」と娘のせいにして、すごすごと翌日の便でテキサスに戻った。ダセえ。

もっとひどい政治家もいる。

「誰か傷つけようか。ヒマだからな」

そう前置きして、テキサス州の町コロラドシティのティム・ボイド市長（共和党）は、2月16日の朝、フェイスブックに「泣いて誰かの助けを待つのをやめろ」と投稿した。

「自治体には、お前らを助ける責任はない。市も郡も電力提供者もその他のサービスも、どこも、お前らを救う義理なんかないんだ！」

いや、あると思うよ。税金払ってるんだから。

「少数の努力に多数が依存するのは社会主義政府の産物だ」

いや、それも社会主義と違うし。

「強い奴だけが生き残るのさ」

市長が言う言葉かね。その日の午後、ボイド市長は先の投稿について謝罪し、辞表を提出した。

「お年寄りを傷つけるつもりじゃなかったんです」

自分で「誰か傷つけようか」って書いてたじゃん！　吹雪吹雪、氷の世界で誰か傷つけたいな、なんて、お前は井上陽水か！

「中国ウイルス」と言われてアジア系へのヘイトクライム急増

2021年3月18日号

ビバリーヒルズの美容整形外科ガブリエル・チウ博士（中国系）夫妻の資産は8千万ドル（約80億円）。一人息子の生まれて初めての春節（旧正月）のお年玉として、高級ブティック街ロデオ・ドライブを借り切り、一夜だけチャイナタウンに改装して大パーティを開く。

シンガポールの石油コングロマリットの御曹司ケイン・リム（31歳）は、顔はほっしゃん。（星田英利）そっくり。だが、子どもの頃から投資と不動産で財を成し、資産2千万ドル（約20億円）。ビバリーヒルズの自宅のウォークインクローゼットは1DKのアパートより広い。

母が日本人のアナ・シャイ（60歳）は、父が軍事基地などの建設請負企業の創立者。相続した会社を売却して6億ドル（約600億円）の資産を得た。親友の誕生日のお祝いに彼女をパリに連れて行き、ヴァンドーム広場の老舗宝石店ブシュロンを借り切って「何でも欲しいものを選んで」と微笑む。

ロサンジェルスに住むアジア系大富豪たちの生活を追いかける『きらめく帝国～超リッチなアジア系セレブたち～』（Netflix）は、「映画『クレイジー・リッチ！』はヌルかった」と思わせるようなリアリティTVシリーズだ。

レポーター役は男性モデルのケヴィン・クライダー。韓国に生まれたが、幼い頃にアメリカの白人夫婦の養子になり、アジア人の少ないフィラデルフィアで育った。ロサンジェルスに引っ越して月千ドルのアパートに暮らしてると彼が言うと、クレイジー・リッチなアジア人たちは「それじゃ私の靴代にもならないわ」と驚く。

金持ちと言っても、親の遺産で暮らしているのはアナ・シャイだけで、他はみんなそれぞれのビジネスの成功者。たとえば中国の昆明に生まれたケリー・ミ・リー（35歳）はリン・ミャオという実業家と結婚していた時は総資産1億6800万ドルで「毎月40万ドル（約4千万円）無駄遣いしてたわ」というが、夫がフィッシング詐欺で逮捕されて全財産を失った。その後、自ら実業家として再起し、アジア系タレントの芸能プロ、映画テレビ制作会社などで大活躍している。

アジア系はアメリカの様々な民族のなかで最もUpward Mobility（社会的階層の上昇志向）が強いと言わ

れてきた。勤勉で大人しく、犯罪にかかわらず、政治的な意見も言わないModel Minority（模範的マイノリティ）とも言われた。『きらめく帝国』はその頂点のようにも見える。

だが、実はアジア系は、あらゆる民族集団のなかで最も貧富の差が大きい。Ｐｅｗリサーチ・センターによる２０１６年の調査によれば、アジア系の上位10パーセントの富裕層の収入は、下位10パーセントの収入の10・7倍（全米の平均は8・7倍）。また、アジア系はレストランやネイルサロンで働く人が多いので、今回のコロナ禍で最も大きなダメージを受けており、失業手当て申請者はコロナ流行前の3・4％から25・6％と急増した。うちの近くのオークランドのチャイナタウンも、もう一年間も休業が続き、今は春節なのに獅子舞も爆竹も無い。

1月31日、そんなオークランドのチャイナタウンを独りで歩いていた91歳の中国系のご老人が背後から何者かに突き飛ばされて大けがをした。その瞬間は防犯カメラに映っていた。その3日前、湾を挟んだ対岸のサンフランシスコではタイ系の84歳の老人がやはり正面から突き飛ばされ、2日後に亡くなった。2月3日、東海岸ニューヨークの地下鉄で、フィリピン系の61歳の男性がカッターナイフで鼻の下を右頬から左頬にかけて水平に切り裂かれた。

☆　差別に対して声を上げるアジア系セレブ　☆

アジア系に対する暴力、ヘイトクライムが全米で増加している。去年の3月から12月にかけて２８０８

件が報告されている。直接の暴力だけでなく、差別語を投げかけたり、差別的な落書きをしたりの嫌がらせまで含めると、ニューヨーク市警だけで例年の19倍もの通報があった。

コロナのせいで仕事を失った人々の鬱憤が溜まったところにトランプ大統領はコロナを「中国ウイルス」「武漢ウイルス」「カンフル（カンフー&インフルエンザ）」と呼び続け、コロナ対策の失敗を中国への憎悪へとすり替えていった。

しかし、アジア人はやはり大人しい。黒人に対する警官の暴力への怒りがブラック・ライヴズ・マター運動になったようなうねりは起こらない。そこで、ハリウッドのアジア系スターたちが動いた。

オークランドの老人突き飛ばし犯を見つけた人に2万5千ドルの賞金をオファーしたのだ。先頭に立ったのは『ハワイ5-0』のダニエル・デイ・キム（韓国系）と『バッドランド～最強の戦士～』のダニエル・ウー（中国系）。二人とも筋肉モリモリのセクシー系ダニエルだが、ウーのほうはオークランド出身のオークランド在住。犯人はすでに警察に逮捕されていたので、賞金はアジア人差別と闘う団体に寄付された。

ダニエルたちに触発されてアジア系セレブたちがアジア人差別に対して次々に声を上げるなか、『きらめく帝国』のケヴィンはフェイスブックで「僕にも何か言えとうるさい人たちがいるけど、そういうのってSocial Justice Warrior（社会正義戦士。差別や不正に怒る人々を揶揄した言い方）だよね」とやる気なさそうに反応。「自分を何様だと思ってるのかね」と書いて、すぐに「あ、コレはまずい！」と気づいて削除したが、すでに拡散されて炎上した。まったく模範的だな！

全米が最も愛した絵本がアジア系差別表現でついに絶版

2021年3月25日号

3月2日は全米読書推進の日だった。

これは絵本作家ドクター・スースの誕生日を記念して定められた。ドクター・スースは生きていたら117歳、『いじわるグリンチのクリスマス』や『キャット・イン・ザ・ハット』などの絵本が全世界で6億5千万部も出版されてきた。

ドクター・スースの本はナンセンスな言葉遊びがいっぱい。たとえばこんな(『Green Eggs and Ham』より)。

Would you like them in a house?
Would you like them with a mouse?

アメリカの子どもが生まれて初めて自分で読む本はドクター・スースであることが多い。ウチの娘もそうだった。

「ドクター・スースが、民主党によって違法化されてしまった」

連邦議会で、共和党の下院院内総務ケヴィン・マッカーシー議員が突然そんなことを言い出した。

ドクター・スースの絵本が差別的表現のせいで発売禁止になるというのだ。

たとえば『マルベリーどおりのふしぎなできごと』には、目が細くて吊り上がった男性が箸を持って下駄のようなものをはいて走っている姿が描かれている。ひと昔前のアジア人の描き方だ。

また、『ぼくがサーカスやったなら』では、裸に腰ミノを巻いただけの黒人が描かれている。アフリカの原住民の揶揄的表現だ。

『ネコのなぞなぞ』では「どのくらい年をとれば日本人になれるの？」という意味不明の問いと共に、富士山と鳥居と日本人が描かれている。その日本人は、苦力（クーリー）（中国やベトナムの移民労働者）の笠をかぶっている。つまり日本人と中国人の区別がついてない。

ドクター・スースは絵本作家になる前、ニューヨークの新聞に、日本人に対して差別的なマンガを描いていた。第二次世界大戦中の戦意高揚プロパガンダで、吊り目に出っ歯にメガネの日本人がアメリカに押し寄せたり、ヒトラーと一緒にアンクル・サム（アメリカの象徴）に蹴飛ばされたりする絵だった。スースは1953年に来日し、広島を訪れて原爆の惨状を学び、自分が煽った日本への敵意について謝罪した。

でも、『ネコのなぞなぞ』は1976年の作品だったりする。日本車がアメリカを席巻した時代に日本人を苦力として描くなんて時代錯誤もいいとこ。

They....
※「トランピストはマスクをしない」（文藝春秋刊）P117参照

ドクター・スースの民族差別的描写は以前から問題になっていた。２０１７年にも、トランプ前大統領のメラニア夫人がスースの絵本を学校に寄贈したところ、「差別的だから」と拒否された。

　また、２０１８年に『大草原の小さな家』の作者ローラ・インガルス・ワイルダーの名前がアメリカ図書館協会の児童文学賞の名称から外された。先住民や黒人に対する差別的な描写があるという理由で。ワイルダーが『大草原～』を書いたのは１９３０年代。まだ人権意識の低い時代だった。このようにポリティカリー・コレクトでない文化を抹消することをキャンセル・カルチャーと呼ぶ。

☆ドクター・スースを救え？☆

「この有害なキャンセル・カルチャーと戦うんだ！」

フロリダで開かれたCPAC（保守政治活動協議会）で、トランプ前大統領は演説した。

CPACは共和党の政治家たちの年次集会だが、今年はキャンセル・カルチャーが標的になった。フロリダの共和党下院議員マット・ゲイツも同集会で「次はミスター・ポテトヘッドの番だ！」と叫んだ。

ミスター・ポテトヘッドはプラスチックのじゃがいもに目鼻や手足をつけて遊ぶ立体福笑い。ミセス・ポテトヘッドと夫婦ペアで、『トイ・ストーリー』の常連として日本でも知られている。

だが、マット・ゲイツによると、これが発売中止になり、トランスジェンダーのポテトになるというのだ。

これでネットや保守系テレビやラジオでは「サヨクたちのポリコレからドクター・スースとミスター・ポテトヘッドを救え！」と大騒ぎ。また、発売されなくなるドクター・スースの絵本は競売サイトで一冊20万円の値段がついた。

でも、詳しくニュースを読むと、事実はどうも違う。まず、ドクター・スースの絵本6冊の発売をやめたのは、スースの版権を管理する会社。政治的な圧力があったわけじゃなく自主的な判断だ。ミスター・ポテトヘッドの発売元ハズブロも、発売をやめるわけじゃなく商品名をただの「ポテトヘッド」にするだけ。そもそもベースはジャガイモなので目鼻を変えれば男にも女にもなる。

どっちも別に民主党は関係ないし、共和党が党を挙げて騒ぐようなことでもない。

もっと大事なことから目を逸らすためだろう。

この週、アメリカのコロナウイルスによる死者は累計で52万人を超えた。アメリカ史上最大の犠牲者を出した南北戦争の60万人に次ぐ国家的悲劇になった。だが、コロナ対策に失敗したトランプはもちろん、共和党は誰もこのことに触れていない。

認知症の父を演じるアンソニー・ホプキンス人生の奇跡を語る

2021年4月1日号

映画評論家として、監督や俳優にインタビューするのが仕事だが、コロナ禍ではリモートで話を聞くのが普通になった。それにしても世界的スターの自宅にＺｏｏｍでお邪魔するのは不思議な気分。

その日も、サー・アンソニー・ホプキンスの居間につながった。ロサンジェルスの高級住宅地マリブ、太平洋を見下ろす豪邸に彼は住んでいる。コロナ禍になってから、ホプキンスは、自宅でピアノを弾いたり、油絵を描いたり、猫と遊んだりする姿をツイッターで世界中に発信している。

「今回の映画のなかで、私が生年月日を聞かれて『１９３７年12月31日』と答えるだろ？　あれはね、私自身の生年月日なんだよ」

83歳の名優は笑った。アカデミー賞主演男優賞を獲った『羊たちの沈黙』の食人鬼レクター博士の邪悪な微笑みとは違う、優しい笑顔で。

今回の映画とは、新作『ファーザー』のことだ。

アンソニー・ホプキンス扮するトニーは81歳。妻に先立たれ独り暮らし。娘アン（オリヴィア・コールマン）が通いで世話をしてくれるが、娘の恋人がどうも、このアパートを乗っ取ろうとしているらしい。知らない男がいつの間にか部屋にいたりする。そういえば下の娘ルーシーは最近、どうして会いに来ないのだろう……。

原作はフロリアン・ゼレールの戯曲『Le Père 父』。認知症が進行する父親の視点で描かれた、一種のホラーでもあり、親子の悲しい愛の物語でもある。ゼレールはこの戯曲を監督するにあたって、敬愛するアンソニー・ホプキンスに出演を依頼した。

今回、認知症の役作りのために何をしましたか？

「別に。ただセリフを覚えただけさ」

ホプキンスが俳優修業をしていた1960年代、「メソッド演技」がブームだった。役柄を徹底的に研究し、内面化して、完全にその人格になりきる演技法で、ロバート・デ・ニーロたちは肉体や精神をすり減らして役と一体化した。だが、ホプキンスは一貫してメソッド演技に批判的だ。

「役について分析したり、シーンの意味について監督に質問したり……若いうちはそうしたがるものさ。でも、あまり役の感情を深掘りしすぎるとくどい演技になる。たとえば今回、『私の母が……』というセリフを言った時、子どもの頃のすべての思い出がいっきに蘇ってきて……。オーバーアクトになってしまったから、やり直したよ。

ラスト近くのシーンでも演技ができなくなったな。セットに小道具の老眼鏡があるのを見て、父の死の床の傍らにも老眼鏡があったのを思い出したんだ。地図もあった。ついに行けなかったアメリカの地図だった。

出来上がった『ファーザー』を観たら、私が、私の父に見えた。父はたくましいパン職人だったが、死が近づくにつれて、どんどん憂鬱で怒りっぽくなり、ちょっとしたことで『どういう意味だ？』と突っかかって、私や母を苦しめた。でも、今なら父が不機嫌だった理由がわかる。父は怖かったんだよ、自分が壊れていくことが」

娘を演じるオリヴィア・コールマンの母は高齢者の介護士だった。母親から彼女が教わった介護の秘訣は、認知症の老人の記憶違いを決して正さないことだという。

「老人を傷つけ、自信や尊厳を奪うことになるからね。特に長年の伴侶を失って、それを忘れた人が『妻はどこだ？』と尋ねた時、『もう亡くなりましたよ』などと言ってはいけない。その御老人は伴侶を失う辛さをもう一度味わうことになるから。介護士は、代わりにこう言う。『もうすぐ帰ってきますよ』と。

It's as if somebody else had written the novel of our lives.
愛猫
ニブロ

切ない言葉だが、同時に本当に思いやりに満ちた言葉じゃないか」

☆ 生きるというのは聖なる奇跡 ☆

ホプキンスは40代の頃、父の死を看取った。

「あの日のことは今でも覚えている。私は外に出て、ウェールズの故郷の町ポート・タルボットの公園を歩いた。いつの間にか春になっていて、桜の花が満開だった。私は『ようやく終わりました』と神に感謝した。父の人生の幕は閉じたが新しい命のステージが始まっている。それは私の目を開いてくれた。いつの日か私も死ぬだろう。そして桜は咲く。それが人生だ。命はそんな風に移り変わっ

ていくんだ」

人生は謎だ、だから素晴らしいとホプキンスは言う。

「この年まで生きて、だいぶ賢くなった。自分が何も知らないことがわかるくらいにはね。人生はまったくミステリーさ。

去年、妻のステラが偶然、私の子どもの頃の学校の先生に会ったんだよ。彼はもう90歳を過ぎている。で、妻は私がどんな子だったのか尋ねた。先生はこう言った。『アンソニーはあまり出来のいい生徒ではなかった。でも、それが突然、俳優の道を目指し、頂点に上り詰めたんだ。いったいどうして?』

私自身、どうしてかわからない。誰かに使命を与えられた感じだ。私の意志じゃなくね。たしかショーペンハウアーがこう言ってた。『人生を振り返ると、まるで他の誰かが書いた物語のようだ』まったくそう思うよ。

それが神なのかどうかわからない。でも、生きるというのは聖なる奇跡なんだ。今朝、目覚めて、今、こうしているだけで驚くべき体験なんだ。

今の私は満ち足りて、人生の安らぎの時にある。それもいつか終わるものだと知っている。あともう少し生きたいと願ってはいるが。

この、ロックダウンという異常な状況でも、それを最大限に楽しもうとしている。ピアノを弾いたり、油絵を描いたりしてね」

「敵と呼ばれても」アジア系ヘイトにG・タケイが立ち上がる

2021年4月8日号

すでにお伝えしたように、アメリカではアジア系に対するヘイトクライムが続いている。

トランプ前大統領がコロナウイルスを「チャイナウイルス」と呼び続け、パンデミックに対する不満や怒りを中国に向けさせてきたせいだと言われている。他の人種から見たら、中国人もタイ人もフィリピン人も日本人も同じアジア人でしかない。

そして3月16日、ジョージア州アトランタ周辺のマッサージ・パーラー3軒で、白人青年が9ミリ拳銃を乱射し、従業員や客8人を射殺した。アメリカではマッサージ・パーラーは、ネイルサロンと同じく主にアジア系女性の職場で、殺された8人のうち6人はアジア系、従業員の女性4人は韓国系だった。犯人は車で南に向かう途中で逮捕された。ロングという21歳の白人青年だった。フロリダまで行って銃撃をするつもりだったらしい。

アジア系に対するヘイトクライムがついに無差別殺人にまでエスカレートしたか、と世間は思った。ところが犯人を逮捕した地元警察は記者会見で「殺人の動機はセックス中毒だ」と発表した。

マッサージは昔から、性風俗の隠れ蓑になってきた。犯人は銃撃したマッサージ・パーラーを訪れていたという。でも、キリストと銃を信じるロングは罪悪感に苦しんで「誘惑を断ち切るため」銃撃したと警察官は言う。「ロングはもう我慢の限界だった。彼にとっては日が悪かった」

「日が悪かった」というのは、ひどい目にあった人に「運が悪かったね」と慰める言葉だ。自分の意志で8人も殺した犯人に、いくらなんでも軽すぎるだろ！

そもそも、襲われたスパは性的サービスを提供していたのか？　というのは一軒はアロマセラピーのスパで、殺された韓国系女性は最も若くて51歳、上は74歳だった。それに、もう一軒で殺された白人の客は女性で、夫と二人で、そのスパを楽しんでいたのだ。

もし、動機がアジア系に対するヘイトであれば連邦法違反になって罪が重くなる。だから警察は動機を変えて犯人をかばおうとしているのではないか、そんな批判が飛び交っている。

その翌日、サンフランシスコのチャイナタウン近くで、中国系の老人が襲われた。シャオ・ジェンシエさん（76歳）が交差点で信号待ちしていたら39歳の体の大きな白人男性がいきなり、彼女の顔を殴りつけ

せっかくいい時代になったと思ったのに…
キャプテン・スールー(ジョージ・タケイ)
2009年からリスタートした映画版のスールー(ジョン・チョー)は役柄自体がゲイ設定。
「カウボーイビバップ」実写版でも主演しまーす

た。シャオさんの左目周辺が真っ黒に大きく腫れ上がるほど強烈なパンチだった。

でもシャオさんは負けなかった。拾った棒で襲撃者を滅多打ちにして病院送りにしたのだ。たまたま現場を通りかかったCBSテレビのキャスターがスマホで撮影した映像には、血まみれの顔で担架で救急車に乗せられる襲撃者を、シャオさんが広東語で「なんだって私を殴るんだよ！　このチンピラ！」と叱りつける姿が映っている。あっぱれ、おばあちゃん！

☆　頑張り続けたキャプテン　☆

「何をされても逆らわず、目立たぬよう、大人しくしてろって父に言われて育ったよ」

ジョージ・タケイさんが言う。

「でも、それじゃダメなんだ」

アジア系への暴力の増加について、タケイさんにZoomでインタビューした。タケイさんは1966年のSFテレビ番組『スタートレック（邦題：宇宙大作戦）』で、惑星連邦の宇宙巡洋艦エンタープライズ号の操舵手、キャプテン・スールー（日本名：カトー）を演じた。同年の『グリーン・ホーネット』のブルース・リーと共にアメリカのテレビで最初のアジア系ヒーローとなった。

「エンタープライズ号には男女が同数いて、あらゆる人種が要職に就いている。60年代のアメリカ社会にはまだ、そんな多様性はなかったけど、舞台となる23世紀に人類は差別を克服しているだろうと考えたからだ」

タケイさんは5歳の時、日系人強制収容所に入れられた。日本が真珠湾を奇襲したからだ。

「アメリカ生まれのアメリカ人なのに敵と呼ばれ、何の罪もないのに囚人になった」

タケイさんは『スタートレック』の多様性を人類の理想だと讃えたマーティン・ルーサー・キングJr.に出会い、人種差別撤廃運動に積極的に参加し始めた。そして、自らの収容所体験を語り、本に書き、『〈敵〉と呼ばれても』というコミックにもした。

「ブロードウェイ・ミュージカルになった時はさすがに驚いたけどね」

言うべきことを言い続けたタケイさんにも一つ言えないことがあった。

「僕は子どもの頃から男性が好きだった。でも当時のアメリカではそれが知られたら俳優としてのキャリアが終わってしまう」

タケイさんは男性の恋人と一緒に暮らしたが、それをずっと隠し続けた。２００８年、カリフォルニア州では同性婚の是非を巡って議論が沸騰していた。そこでタケイさんは恋人と共にウェストハリウッド市役所を訪れて結婚許可証を取得して見せたのだ。それは有名人として最初の同性婚であり、全米の同性婚の突破口になった。

「トランプに影響されて差別してる人を見ると、世の中は何も変わらないと諦めたくなる時もある。でも、『スタートレック』の放送から3年後に人類が月に立ったことを忘れないで。頑張り続ければ不可能に見える道も開けるんだよ」

そう、日本でもやっと同性婚禁止は違憲だって判決が出ましたよ、キャプテン・スールー！

トランプの弁護士「まともな人なら私の陰謀論は信じない」

2021年4月15日号

グーグルやツイッターやフェイスブック、アマゾンで何かを検索すると、重要な項目ほど上に上がってくると思っている人が多いが、実は違う。ネットで靴を買うと、ネットで靴の広告が追いかけてくるのは誰でも経験しているだろう。これをターゲット・マーケティングと呼ぶ。広告代理店よりも的確だから、広告費はテレビや雑誌からネットに集まった。

それが実は検索でも起こっている。ふだん何をよく検索しているか、何をよく買っているか、何をよく見ているか、そのデータが自動的に保存され、ＡＩ（人工知能）で解析されて、検索するとその人が求めそうな項目が優先的に上がってくる。

「グーグルで、そういうアルゴリズムをYouTubeに組み込む仕事をしていました」というギヨーム・シャロー氏にインタビューした。あ、BS朝日で放送してる『町山智浩のアメリカの今を知るTV』の取材です。

「YouTubeで何かの動画を見ると、右側にそれと関連する動画が出てくるでしょう？　それを関連付けるプログラムを組んでいました。その際に、YouTubeはエンゲージメント（ユーザーがコンテンツを熱心に見る度合い）を最重視しています。見る人が多ければそれだけ広告を載せる価値が上がるからです」

エンゲージメントが多いのは面白い動画だけじゃない。ショッキングな動画も人を引き付ける。たとえば「バイデンは小児性愛者だ！」とか「バイデンは大統領選挙に不正に勝利した！」とか「コロナ・ワクチンにはビル・ゲイツが開発したナノ（極小）マシンが入っていて、人をロボットにする」とか……つまりいわゆるQアノンのデマや陰謀論だ。もともと純粋な商業目的で組み込まれたアルゴリズムが、政治的陰謀論の拡散という副作用を生み出してしまったのだ。

そんなデマや陰謀論をいったん見てしまうと、ネットはさらに次々とデマや陰謀論を勧めてくる。大統領選挙について検索すると「選挙は不正」とする陰謀論が先に出てくるようになる。正しい情報は下のほうに下げられ、次第に目に入らなくなる。「この選挙が不正でないという情報はみんなフェイクだ」と思い込むようになり、彼のネット生活は陰謀論だけがこだまする「エコー・チェンバー（反響室）」になる。

「人はネットでちょっと右の意見を覗いただけで、ずるずると極端な意見のほうに引きずり込まれ、極右になってしまいます」

ギヨーム・シャロー氏はグーグルを辞めて、ネットに隠されたアルゴリズムを暴く運動を始め、社会に警告している。

政治的なコンテンツを見なくても、ネットで人は政治に引きずり込まれる。フェイスブックやツイッター、YouTubeには気に入ったコンテンツに「いいね」をつける機能があるが、その人の「いいね」を68件見れば、性的指向から政治的傾向まで9割以上プロファイル（推測）できる。その仕組みを暴いたのはスタンフォード大学のマイケル・コジンスキー准教授。フェイスブックはそのデータをマーケティングに利用していたが、2016年に5千万人分のデータが流出し、それをケンブリッジ・アナリティカ社が大統領選挙の政治広告の送りつけに使い、トランプ候補の勝利に大いに貢献した。

「個人のネット活動は個人情報です。許可なく密かに監視し、利用するのは泥棒です」

と言うのは、ハーヴァード大学経営大学院のショシャナ・ズボフ名誉教授。この状況を「監視資本主義」と名付けたズボフ教授にもインタビューした。

「産業革命で資本主義が拡大した19世紀の終わり、自然資源や労働力が搾取されました。監視資本主義は始まって20年くらいですが、それと同じことがネットで起きているのです」

ターゲット・マーケティングの政治利用によってトランプ政権が生まれ、Qアノンが生まれ、選挙不正

おわかり？
私の言ったようなたわごとを信じるのは頭のおかしい人間だけなんです！
陰謀論大好き
斉藤新緑
え!?
だから私は悪くない！
パウエル
頭のおかしい奴らが悪い！

デマが生まれ、ついには議会乱入が起こってしまったのだ。

☆ パウエルの〝はしご外し〟 ☆

3月25日、アメリカ連邦下院議会は、グーグル、フェイスブック、ツイッターのCEOを公聴会に呼び出し（リモートだけど）、議会乱入を起こしたデマを拡散した責任を追及した。

フェイスブックは去年8月からQアノン関連のコンテンツを削除し、現在はワクチンなどのデマ対策に3万5千人以上が従事しているという。また、グーグルはQアノンや極右、白人至上主義のサイトを検索やYouTubeから削除した。ツイッターやフェイスブックはいちばんのデマ拡散者であるトランプ前大統領のアカウントも停止した。

民主党議員は通信品位法230条の改正を考えている。これはSNSのプラットフォーム経営者が投稿の内容の責任から免除される法律だが、何らかの責任を課すべきではないか？

フェイスブックのCEOマーク・ザッカーバーグは消極的だった。「危険なコンテンツを削除する仕組みは義務化されるべきだが、AIの判断をすり抜けるものもある。議会乱入の責任は、それを煽った前大統領にある」

共和党は、規制強化は表現の自由と自由市場の侵害だと反対している。すでにネットに詳しいユーザーは監視機能をOFFにしたり、アルゴリズムのないブラウザやSNSに移っている。

さて、トランプの弁護士として「ドミニオン社の投票集計機がトランプ票をバイデン票に書き換えた」と主張していたシドニー・パウエルはドミニオンから名誉毀損で13億ドル（1423億円）の損害賠償を求められたが、名誉毀損にはならないと反論した。なぜなら「まともな人ならそんな主張を信じるはずがない」からだと！　えーっ、百田センセイや高須センセイは信じてたよー！

コロナワクチン接種優先される高齢者への嫉妬と現実

2021年4月22日号

コロナ・ワクチンを接種した。

自分が住むカリフォルニア州アラメダ郡では4月1日から50歳以上の全住民がワクチンを受けられることになった。16歳以上は4月15日から接種可能。現在、子どもへのワクチンの治験も進んでいる。毎日250万人以上がワクチンを接種している状況なので、バイデン大統領が目標とする7月4日の独立記念日までにアメリカ全土で住民の7割以上が抗体を持つ状態が実現しそうだ。

65歳以上の高齢者には、すでに2回接種を受けた人が多く、バーやレストランで騒いだり、リゾート地に出かけたりしている。

若者たちは学校に行けず、授業も卒業

式もバーチャルで、青春も楽しめず、就職も危ういのに、ジジババは先に遊んでてどういうこと？

そんな怒れる若者たちの神経をさらに逆なでするコントが『サタデー・ナイト・ライブ』で放送された。老人たちが90年代スタイルでラップを歌う。つまりジャージに金のアクセサリーをジャラジャラつけて、札びら切って、高級シャンパンをラッパ飲みしながら金持ち自慢をする。

わしら団塊の世代、ベイビーブーマー
トランプに投票したのは減税してくれたから
コロナはただの風邪だと思ってるけど
念のためにお先に失礼ワクチン打った
ファイザー、モデルナ、どれでも打ち放題
若い奴らには残りをやるよ
ほら、ジョンソン&ジョンソンさ
ワクチンばっちりマスクなんかまっぴら
団塊の世代は止められないぜ
ダイヤモンド・プリンセスでクルーズに行こう
免疫あるよ　抗体あるよ

ベイビーブーマーとは1945年から1964年にかけて生まれた世代とされる。だから筆者も含まれる。アメリカには約8千万人いる。その世代に、それより若い世代がイラつくのは、単にワクチンを先に打ったからだけじゃない。『サタデー・ナイト・ライブ』のラップにはこんな歌詞もある。

わしら、経済危機も3回経験したけどね
大学出たら誰でもすぐに就職できたし
学費も安くてローンも抱えてない
老後の蓄えもあるし　年金ももらえる
家もあるし　SUVも

現在、全米の富の53・2%をベイビーブーマーが独占している。それに対して労働人口の主力であるミレニアルズ（25歳から40歳）世代が持っている富はわずか4・6%でしかない。ちなみにベイビーブーマーが25歳から44歳だった1989年に、彼らは全米の富の21・3%を持っていた。

ベイビーブーマーがどれだけ豊かだったのか。具体的な例は前にもこの連載で挙げたけど、TVアニメ『ザ・シンプソンズ』だ。番組が始まった1989年、シンプソン家の父ホーマーは39歳で郊外に庭付き2階建ての家と自動車を持っていた。その生活は今や富裕層のものだ。

☆　夢破れた老人たちの過酷な労働　☆

ただ、この『サタデー・ナイト・ライブ』のコントには誇張がある。ベイビーブーマーの誰もが豊かなわけじゃない。アメリカでは家を除いた資産が12万ドル以下で、年収5万6千ドル以下の高齢者世帯はメディケイドという医療費補助を受けられるが、その人口は5500万人もいる。つまりベイビーブーマー8千万人の半数以上が貧困なのだ。

今年のアカデミー賞最有力候補といわれている映画『ノマドランド』は、そんな貧困層のベイビーブーマーを描いている。主人公のファーン（フランシス・マクドーマンド）はネバダ州のエンパイアという町で夫と暮らしていたが、夫が亡くなり、エンパイアが依存していた石膏ボード工場が閉鎖され、町そのものが消滅し、ローンを払い続けた家の価値はゼロになった。ファーンの手元にはオンボロのバンしか残らなかった。老後の蓄えはなく、年金は月々5万円ほどしかない。家賃は払えない。バンに寝泊まりするしかない。

ファーンは日雇いの仕事を求めて全米を放浪する。彼女のような車上生活労働者をワーク+キャンパーでワーキャンパーと呼ぶ。夏はキャンプ場の管理人、秋は農場の収穫を手伝い、冬はアマゾン配送センターで働く。

『ノマドランド』は数名の俳優を除いて、ほとんどが実際のワーキャンパーがワーキャンパーを演じている。彼らは家も金もすべてを失ったことで自由を得たように描かれている。神々しいほど美しいアメリカの荒野は感動的でスピリチュアルだ。これを観てワーキャンパーに憧れる人も多いだろう。でも、それは間違いだ。

アマゾンの支払いは最低賃金。原作のノンフィクションでは一日10時間以上、ほとんど休みもなく商品を箱に詰め込み続けるアマゾン地獄が描かれる。

ところが映画ではアマゾン倉庫の過酷さはわからない。アマゾンから撮影許可を得るためにイメージが悪くなる描写ができなかったのだ。

ファーンたちベイビーブーマーの世代の親は一戸建ての家を持ち、子どもを育て、死んでいった。それこそアメリカン・ドリームだった。その夢のために、彼らの祖父や曾祖父の世代は海を越えてアメリカに渡り、約束の地を求めて幌馬車で荒野を旅した。でも、その夢はもう壊れてしまった。

コロナで小売店が閉まり、外出もできない間、アマゾンは莫大な利益を上げた。しかしそれは夢破れた老人たちの過酷な労働に支えられている。

ただ、最低とはいえアマゾンの時給は現在15ドル（約1600円）。最低賃金がアメリカ以下の日本にも車上生活者は増えている。

黒人の投票を邪魔し続ける南部ジョージアMLBからボイコット

2021年4月29日号

MLB（メジャー・リーグ）が、ジョージア州アトランタでのオールスター戦を行わないと発表した。3月25日にジョージア州のブライアン・ケンプ知事が、黒人やヒスパニックの投票を妨害する投票法に署名したことへの抗議だ。

この法律では、投票に際して運転免許証やパスポートなど国や州が発行した写真付きID（身分証明書）の提示が義務付けられる。ジョージアを投票妨害で訴えた人権弁護士団体ACLU（アメリカ自由人権協会）によれば、有権者の11％にあたる2100万人が貧困などの理由でIDを持っていない。特に投票できる年齢の黒人の25％がIDを持たない（白人は8%)。

バイデン大統領はジョージアの投票法を「新しいジム・クロウ法だ」と批判した。ジム・クロウとはミンストレル・ショー(白人が顔を黒く塗って黒人を演じる喜劇)の役柄で、スケベでズルくて間抜けな黒人。1965年まで、南部各州には、黒人が選挙に参加できないよう、様々なテストをパスした者だけ選挙登録できる州法があった。それをジム・クロウ法と呼ぶ。なぜ、こんな法律を作ったのか? 白人の地位が危ういからだ。

ケンプ州知事は「あなたが政治的に正しくない保守を求めているなら、それは私だ」と胸を張る、典型的な南部の白人共和党員。彼は選挙CMで何十丁もの銃器に囲まれた自宅でショットガンを構え「俺の銃は誰にも奪わせない」と凄み、福祉に反対して「州政府の支出を吹き飛ばす」と言うと背後で何かがドカンと爆発してキノコ雲が上がる。

この法案を通したジョージア州議会も上下院を共和党の白人議員が支配している。ジョージアは『風と共に去りぬ』で有名な奴隷農園の州。だが、近年、州都アトランタを中心に非白人の人口が増え、黒人の民主党議員も選ばれるようになった。

共和党の多数支配を守るため、ケンプは州知事になる前の州務長官時代から黒人の投票を妨害する策を弄してきた。まず、黒人が多く住む地域の投票所を閉鎖し、前回の選挙で投票しなかったという理由で140万人の投票登録を抹消、さらに53万人を超える登録申請を保留した。その7割が黒人やヒスパニッ

ジョージア州が舞台の映画といえば…
川遊びに訪れたビジネスマン
4人組を銃で脅しレイプする(!)
ジョージア人山男 二人組→
バート・レイノルズ
ジョン・ヴォイト
(アンジェリーナ・ジョリーのパパ)
「脱出」('72年)

クだった。

州知事に立候補した2018年の選挙では、ケンプの投票妨害を告発したアフリカ系女性の州議会議員ステイシー・エイブラムス（民主党）と対決。これだけ黒人投票を妨害したにもかかわらず、ケンプはわずか5万4千票差の辛勝だった。「あとひと押しだった」と確信したエイブラムスはすぐに黒人やヒスパニックの投票登録推進運動を始めた。それが大統領選でのバイデン勝利に結びついた。

トランプは「不正があった！」と怒り狂ってケンプに3回も票の数え直しをさせ、それでも票差が縮まらないと、電話でケンプを「その票差をなんとかしろ」と脅した。

そうして追い詰められたケンプたちが作ったのが今回の投票法。表向きの理由は「不正投票を防ぐため」だが、そもそも「不正投票」とやらはトランプが勝手に主張しているデマにすぎない。

ジョージアの投票法でIDよりも問題なのは、不在者投票を選挙の11週前から11日前までに申し込んだ者だけに限定し、その投函箱も有権者10万人に一つ（!）に減らしていること。それほど郵便投票を妨害したいのだ。去年の選挙ではコロナのため郵便投票となり、登録者すべてに投票用紙が郵送されたので、史上最高の投票率66・3%を記録した。それで共和党が負けたから。

こんな投票妨害はジョージアだけでなく、共和党が州議会を支配する南部の州すべてで州法化に動いている。テキサス州では、州知事が2020年の選挙では郵便投票の投函所を減らし、各郡に一つにしたり、司法長官がジョージア州など4州におけるバイデンの勝利を無効とする訴えを起こした（もちろん却下）が、今回もジョージア同様の投票法を通そうとしている。

☆　共和党のムダな抵抗　☆

ただ、こうした投票妨害がどれだけ効き目があるか。1月5日に行われたジョージア州連邦上院議員の決選投票では2議席ともに民主党（一人は初の黒人）が勝利した。白人でも若年層はリベラル化しているからだ。そんな時代の波にケンプたちはムダな抵抗を続けている。

MLBの選手の32%はヒスパニックで8%は黒人だから、こんな投票法には反対するしかない。オールスター戦の試合会場はジョージア州からコロラド州デンバーに移動することになった。そこにも投票ID法はあるが、郵便投票は行われる。

共和党はMLBにボイコットを表明している。ブラック・ライヴズ・マター（黒人の命も大切だ）運動に賛同したNFL（アメフト）やNBA（バスケ）に対してもボイコットしていた。

ジョージアの投票法には、同州に本社があるデルタ航空とコカ・コーラのCEOも抗議した。証券会社JPモーガン・チェイスとシティバンク銀行、ネットワークのシスコシステムズなども抗議に加わった。

4月3日、トランプは支持者に「その企業全部ボイコットしろ！」と呼びかけた。え？　ホワイトハウスの執務室に専用のボタンを取り付けてダイエットコークを持って来させるほどだったのに？

と思ったら案の定、4月5日に顧問のスティーヴン・ミラーがツイートしたトランプのオフィスの写真をよく見ると電話の向こう側に飲みかけのコーラの瓶が隠れていた。これだからジャンキーは！

テレビで人気の共和党若手議員17歳の少女を買春か

2021年5月6日・13日号

1972年、当時のニクソン大統領が首都ワシントンのウォーターゲート・ビルにあった民主党の選挙事務所を盗聴しようとしてから、政治的疑獄事件は「××ゲート」と呼ばれるようになった。

で、「ゲーツゲート」が今、アメリカを騒がせている。フロリダ州の下院議員マット・ゲーツ（38歳・共和党）が17歳の少女に金を払って、セックスのために海外に連れ出した疑惑で、司法省から調査されている。司法省が動いているのは、アメリカでは未成年を保護者の許可なしに州外に連れ出すのは連邦法違反だから。

ジャック・ニコルソンのような眉毛が印象的なゲーツは、議員だった父の地盤を引き継いだ典型的な二世議員。2016年に連邦議員になってから、若手保守のホープとして、環境保護に反対し、銃規制に反対し、中絶に反対し、同性婚に反対し、トランプの寵愛を受けてきた。とにかく目立ちたがり屋でスタンドプレーばかりだった。議員に就任して最初に出した議案は「環境保護庁の閉鎖」だった。通るわけがない。

2018年2月、ゲーツの地元フロリダ州の高校で銃乱射事件があり、17人が殺された。翌年、議会で公聴会が開かれ、生き残った生徒や犠牲者の両親が証言した。銃所持の権利を守る全米ライフル協会の支持を受けるゲーツは遺族の前で「原因は銃ではありません」と演説した。「暴力的な不法移民を容認するシステムのせいです」

「そりゃ嘘だ!」

立ち上がって叫んだのはマニュエル・オリバー氏。彼の17歳の息子は銃撃で亡くなった。実際、乱射犯は不法移民なんかじゃない、アメリカ生まれのアメリカ人だ。

ゲーツは謝罪するどころか警備員にオリバー氏を退場させた。

2020年11月の選挙でゲーツは再選された。だが、トランプ親分は負けた。彼が負けを認めず、この選挙は不正だと騒ぎ始めると、ゲーツはそれに乗っかって、選挙は不正だから無効だと主張した。じゃあ、なんで自分は同じ選挙で当選したんだよ。

そして、少女買春疑惑が浮上した。疑惑の出どころはフロリダ州の税徴収官だった。

フロリダでは税徴収官は選挙で選ばれる。ジョエル・グリーンバーグという男がゲーツと同じく父親の金で選挙活動をして税徴収官になったが、しばらくして33の罪状で逮捕された。税徴収官としての予算で拳銃などを私物として買っただけでなく、警察官のフリをして市民を取り締まったり、税徴収官としての権限で運転免許のデータにアクセスして免許証を偽造したり、税徴収官の対立候補が高校の先生だったので、彼が肉体関係を結んだという女生徒の手紙をでっち上げて勤め先の高校に送ったり、もう滅茶苦茶だった。

彼の罪状の一つに、少女売春の斡旋があった。グリーンバーグは出会い系サイトでシュガーダディ（いわゆるパパ）を求めている女性をリクルートして、政治家などに紹介していた。そのうちの一人がゲーツだったのだ。

グリーンバーグは司法取引で捜査に協力し、自分の携帯のデータを提出した。そこにはゲーツとの連絡が記録されていた。

2018年9月、ゲーツはカリブ海のリゾート、バハマ国に、2人の共和党関係者と旅行した。別の飛行機でグリーンバーグが手配した女性3人が現地に飛んだ。そのうちの一人が17歳だった疑いがある。

ゲーツからグリーンバーグへの謝礼は支払いアプリを使っており、履歴も確認されている。ゲーツは2017年12月に民主・共和が超党派で議決した人身売買禁止法に議会でただ一人反対票を投じた。今となってみると、買う側だったからだろう。

目つきが怖くても若くてハンサムなら…
マット・ゲーツ
あとはTVにいっぱい出ること！

☆　どっちが不道徳？　☆

「私は議員だが、修道僧じゃない」

ゲーツは保守系のFOXニュースやワシントン・イグザミナー誌のインタビューでこう反論している。「デートした相手の飛行機代やホテル代を出すのは犯罪じゃない」「相手が法的に問題のない年齢なら」「私は17歳の少女とセックスしたことはない。自分が17歳だった頃を除いて」

その女性を、グリーンバーグはメールやチャットで「ヴィンテージ99」という暗号で書いていた。ワインの「99年物」という意味で、99年生まれを意味すると思われる。すると2018年9月当時はもう18歳を越えて、未成年ではなかったことになる。

だが、「マン法」が適用されるかもしれない。たとえ成人女性でも不道徳な目的で州境を越えさせるのを禁じた法律で、チャップリンやチャック・ベリーがこれで逮捕されている。

ゲーツは「司法省のでっち上げだ。彼らはこれで私を恐喝して2500万ドル要求したんだ」とバカげたことまで言い出したが、共和党は沈黙を守っている。

CNNはグリーンバーグからゲーツのパーティに派遣された二人の女性にもインタビューしている。コカイン吸いまくり、エクスタシー飲みまくりの乱交パーティだったそうだ。ゲーツは「私の過去のライフスタイルは今の私の生活とは違う。だからといって、それは違法ではない」と言う。

違法かどうかはさておき、ゲーツはキリスト教を振りかざし、同性愛や人工中絶を不道徳だと攻撃してきた。また、ゲーツやトランプの支持者は、民主党やリベラルは少女少年の売買組織を運営していると陰謀論を撒き散らしてきた。でも実際、不道徳だったのはどっちか。

事件が発覚する前から政策も言動もデタラメだったゲーツが去年の選挙で再選されたのはテレビに出まくっていたからだ。特にFOXニュースには毎週のように出演していた。目つきは怖いが、若くてハンサムと言えなくもないゲーツは、とにかくテレビに出てれば支持率は落ちなかった。大阪の知事と同じだ。

BLM《ブラック・ライヴズ・マター》の発火点 黒人殺しの警察官 ついに有罪

2021年5月20日号

主人公はニューヨークの若くてリッチなグラフィックデザイナー。可愛い彼女と一夜を過ごしてハッピーな気持ちで彼女のアパートを出ると路上でいきなり警察官に「バッグの中を見せろ」と絡まれる。主人公がちょっと抵抗すると、警官は彼を組み伏せて背中から胸を圧迫する。

「息ができない」とつぶやいて主人公は窒息死する。そこでハッと目覚める。彼女のアパートだ。夢だったのか、と思って、路上に出ると、さっき自分を殺した警官が。主人公は逃げ出すが背中から撃たれる。また目覚める。彼女のアパート。彼は今度はアパートを出ない。すると警官が突入してきて彼を射殺する。何をしてもしなくても殺されてしまう。なぜなら彼は黒人で、警官は白人だから。

今年のアカデミー賞で短編実写映画賞を受賞した『隔たる世界の2人』は、最近流行りのループ物に今アメリカで起こっている白人警官による黒人殺害事件を反映させた傑作。

「息ができない」は去年5月にミネソタ州ミネアポリスで殺されたジョージ・フロイド氏(46)の言葉。彼がミネアポリスのコンビニエンスストアで使った20ドル札がニセ札らしいという通報で、駆け付けた警察官デレク・ショーヴィン(45)がフロイド氏に路上で後ろ手に手錠をかけ、パトカーに乗るのを拒んだ彼をうつ伏せにし、首の後ろの上にひざを乗せて体重をかけて9分半も気道を塞いだ。フロイド氏は最初「息ができない」と声を絞り出したがついに意識を失った。それでもショーヴィンは体重をかけ続けた。救急車が来た時にはすでにフロイド氏の心臓は停止していた。

ミネアポリスでは抗議デモが起こり、警察の分署に火がつけられた。これで全米にブラック・ライヴズ・マター運動が巻き起こった。

結局ショーヴィンは第二級殺人(計画性はないが未必の故意による殺人)で起訴され、今年3月に裁判が始まった。無実になれば、また暴動が全米に拡がる可能性がある。

まず注目されたのは陪審員。白人が多ければショーヴィンは無罪になりかねない。選ばれた12人は白人6人、黒人4人、混血女性が2人、とバランスが取れていたのでひと安心。裁判では、コンビニの店員(黒人青年)が「僕がニセ札を受け取らなければフロイドさんは生きていた」と悔やんだ。20ドルのニセ

札使用はふつう罰金千ドルの軽罪なのだ。現場をスマホで撮影した当時17歳の少女ダーネラさんは今もショックから立ち直れず、やはり現場にいたマクミランさんは命がけで止めに入らなかった自分を責めて証言台で泣き崩れた。

フロイド氏の当時の恋人コートニー・ロスさん（白人）は二人ともオピオイド中毒だったと告白。死因にオピオイドが関係しているとショーヴィンの免責の理由になる。弁護側の医師はフロイド氏の持病などが死因かもしれない、と言ったが、検察側の医師はフロイド氏は健康で、死因は窒息死と主張した。

ショーヴィンの警察署のアラドンド本部長（黒人）は「被疑者を制圧した後も

体重をかけ続けたのは違反行為だ」と断言。弁護側には警察の実力行使の専門家バリー・ブロッド氏が呼ばれ「フロイド氏が抵抗したせいだ」と言ったが「窒息の危険性があることは、警察内ではよく知られている」と認めた。

筆者は陪審の評決を待つミネアポリスを訪れた。裁判所の周りは暴動に備えてバリケードが張り巡らされ、州兵が警備にあたり、戒厳令下のようなものものしさ。だが、フロイド氏殺害現場を訪ねると、人があふれていた。その交差点は「ジョージ・フロイド広場」と名付けられ、権力への抵抗を意味する、空に向かって突き上げられた怒りの拳のモニュメントが築かれていた。フロイド氏がこと切れた路上には人型が描かれ、人々が花やキャンドルを捧げていた。

集まった人々にマイクを持った女性が叫ぶ。

「また黒人が殺された!」

☆ 正義の裁きなければ平和なし ☆

4月11日、ミネアポリスの隣町でダンテ・ライト(20)という青年が射殺された。警察官の胸につけられたビデオカメラには、女性警官キム・ポッターが「テイザー(電撃銃)!」と叫びながら拳銃で彼を撃ち「拳銃で撃ってしまった!」と言う声も録音されていた。

「ポッターは、わたしの息子も殺した」と訴えるのはアミティ・ディモックさん。彼女の息子コビーさんは自閉症スペクトラムで、挙動不審のために警察官に射殺された。「その時のリーダーがポッターなの。あの時に彼女が処分されてれば、ダンテは殺されずにすんだのに」

ミネソタではここ数年、警察による暴力事件が増加しているが誰も裁かれていない。構造的に腐敗しているのだ。黒人だけでなく、白人、アジア系、ヒスパニック、先住民の母や父が子どもを警官に殺された悲しみを語っていた。シュプレヒコールが上がる。

「正義の裁きなければ平和なし！」

裁きは下された。4月20日、陪審員はデレク・ショーヴィンに第二級殺人で有罪の評決を下した。

ジョージ・フロイド広場には勝利を祝う人々が続々集まってきた。

「応援してくれた皆さんのおかげです！」ジョージ・フロイド氏の遺族が涙ながらに感謝した。「でも、これは戦いの始まりにすぎません」まだ多くの警官が裁かれていないし、警官の暴力を防ぐための警察機構の改革という大仕事が待っている。

とはいえ、コロナ禍になってから、こんなにハッピーな人々を見るのは大統領選でトランプが負けて以来だ。有志が演奏する「聖者の行進」で黒人も白人もアジア人も仲良く踊っている。「今日はすべての人種（レース）にとっていい日だ」一人の若者が言った。「人類（ヒューマン・レース）にとってね！」

「トリクルダウンなど無い!」バイデンの経済改革は底上げ《ボトムアップ》

2021年5月27日号

今、アメリカの若者は希望に満ちている。

え？　先の見えないこのコロナ禍で？

いや、ほんとに。4月23日、ハーヴァード大学の公共政策大学院が、全米の18歳から29歳の若者の意識調査を発表した。それによると、56％が「アメリカの将来には希望がある」と答えたのだ。4年前、2017年秋の調査で「希望がある」と答えたのは31％だったから、2倍近く増えた。

「新大統領になって政治的対立が落ち着いた今、アメリカの若者たちは明るい将来を感じている」と、この調査の主事ジョン・デラ・ヴォルペは言う。「彼らは政治参加への熱意や、アメリカへの信頼を取り戻している」

バイデン大統領の100日間の仕事ぶりで若者たちから特に高く評価されているのはコロナ対策（65％）。千人の成人を対象にしたNBCニュースの調査では69％にのぼる。

それほどバイデンのワクチン接種大作戦は凄かった。1月20日の大統領就任式で100日目の4月末までにワクチン1億回接種という目標を掲げたが、早くも3月に目標クリア。目標を2倍に増やして4月末までに2億回とぶち上げたが、これも100日前に達成してしまった。

なにしろ、多い日には全米で一日300万回接種が行われている。地震やハリケーンに対応するFEMA（緊急事態管理庁）がスタジアムやショッピングセンターの駐車場などの大会場を接収し、スマホによる問診、流れ作業による素早い接種を行うなど、効率的なロジスティックスの成果だ。

バイデンは5月4日にさらに新目標を発表。7月4日までに全米の成人1億6千万人が少なくとも1回の接種を受けること。つまり集団免疫に必要な抗体所有者率7割を達成して、正常に近いかたちで独立記念日を祝おうというのだ。

今のペースだとこの目標も6月半ばには達成できるが、だからといって手綱を緩めるのではなく、全米の薬局で予約なしに誰でも飛び込みでワクチンを打てるよう整備するという。

コロナで打撃を受けた経済の立て直しには3月11日に1兆9千億ドルの支援案にサインした。まず年収7万5千ドル（約820万円）以下の国民すべて（子どもを含む）に一律1400ドル（約15万円）ずつ支給。4人家族だと60万円にもなる。さらに失業保険の週300ドルの加算も9月まで延長、自己隔離する感染者への給与補償にも4千億ドルの予算が充てられる。

ワクチン接種の拡がりを受けて4月にはレストランなどのビジネスが再開して失業保険申請者数はパンデミック以来最少に減った。FRB（連邦準備理事会）は「アメリカ経済のコロナからの回復ペースは加速している」と発表した。

「アメリカは離陸する！」

☆ 偉大なる社会目指して ☆

4月28日、バイデン大統領は議会での施政方針演説でそのための予算案を2つ打ち出した。雇用拡大のための2兆ドルのインフラ整備計画案、1・8兆ドルの子育て支援計画案、先のコロナ対策と合わせて総計6兆ドル。歴代大統領史上最高額だ。

その財源は富める者への増税。公約通り年収40万ドル（約4400万円）以上の富裕層の税率を37％から39・6％に、年収100万ドル（1億1千万円）以上の富裕層のキャピタルゲイン（投資による収益）への税率を20％から39・6％に値上げする。また法人税については国際協定で最低限度を決める。大企業を誘致するため、1980年代から続いてきた法人税値下げ競争に終止符を打つためだ。

この増税に対して共和党は「社会主義的だ」と反発しているが、アメリカはもっともっと高い税率に

よって作られたのだ。

1930年代、フランクリン・ローズベルト大統領は大恐慌から庶民を救うためのニューディール政策の一環で、大企業への最高税率を50％以上、富裕層への最高税率を80％以上に上げた。その税金で政府は道路や橋などのインフラを建設して労働者に富を再配分した。こうしてアメリカの中間層の人口は全体の7割以上に拡大し、誰もが豊かな国になった。

1960年代、リンドン・ジョンソン大統領は貧困層のない「グレート・ソサエティ（偉大なる社会）」を掲げたが、ベトナム戦争でつまずき、その夢は潰えた。

1980年代、新自由主義による経済競争の自由化を掲げたレーガン政権は富裕層への税率を30％台、法人税率を35％に下げた。以降、40年間にわたってそれが続いた。金持ちが豊かになれば庶民もおこぼれに与かれるという「トリクルダウン理論」が唱えられたが、株価が上がって金持ちは太り、中間層はやせ細る一方だった。

「アメリカを築いたのはウォール街ではない。中間層なのだ」バイデンは議会で訴えた。「トリクルダウンなど機能したことがない。やるべきはボトムアップ（経済の底上げ）だ」

バイデンはグレート・ソサエティの夢を蘇らせようというのか。穏健派と言われてきたバイデンの改革派への豹変ぶりに国民は驚きながらも55％が支持している。分断と言われながら共和党支持者の30％もバイデンを評価しているのも重要だ。

5月5日、共和党の応援テレビ局FOXニュースのキャスター、ブライアン・キルミードはコロナ対策で学校閉鎖が続くフィラデルフィアの子どもたちにインタビューし、「トランプ大統領は何が何でも学校を再開せよと言ったのにね」と水を向けてバイデンを批判させようとしたが、中学1年生のメイソン・シーダー君は「もうすぐ学校は始まりますよ。今の大統領のコロナ対策は順調です」と反論した。「前の大統領だったら学校に行けてないでしょうね」

そんなこと中学生でもわかるよね！

世界の大企業を脅かす身代金要求ウイルスサイバー戦争で撃退!

2021年6月3日号

5月7日、アメリカで突然、ガソリン不足が起こった。コロナによる需要不足もあってずっと安かったガソリン価格が6年ぶりにリッター86円を超えて、ノースカロライナ、ジョージア、バージニアなど南東部の州で3500カ所のガソリンスタンドが空になった。

原因はメキシコ湾岸からニューヨークまでガソリンを送る8850キロのパイプラインを止めたから。アメリカの南東部の石油の45%を供給する石油パイプライン最大手のコロニアル社がハッカーのサイバー攻撃から身を守るために停止したのだ。

コロニアル社はシステムをハッキングされて、身代金を要求された。この手の犯罪に使われるソフトをランサムウェア（身代金要求ウイルス）という。ハッカー側はコロニアル社のネットワークから100ギガバイト近いデータを盗み、身代金を支払わなければインターネットに流すと脅した。同時に、コロニアル社のシステム内のデータを勝手に暗号化して鍵をかけた。それを解く鍵も身代金と引き換えだ。こういうサイバー犯罪ではビットコインなどの仮想通貨や暗号通貨で身代金が支払われる。恐喝では身代金の受け渡しが最も難しいが、データを送るだけなら足がつきにくい。

それにしてもパイプラインのシステムに侵入されたのは危険だ。製油コンビナートや火力発電所を外部から操作されたら大変なことになる。

FBIは、犯人は2020年8月以降、80社以上の企業のネットワークに侵入したハッカー集団「ダークサイド」だと発表した。

ダークサイド！　暗黒面！　まるでスター・ウォーズとか仮面ライダーの世界！

FBIはダークサイドのランサムウェアのプログラムなどから、その本拠地はロシアだと結論した。ロシア政府の関与も疑わざるを得ない。

ちなみにダークサイドとはランサムウェアの開発チームで、それを使って実際にハッキングする「クライアント」は別らしい。ソフト開発チームは、普通のグーグルやヤフーではアクセスできない闇（ダーク）ウェブで宣伝し、ソフトを購入したクライアントに使い方をまとめたキットを提供する。で、実際に身代金を取ったら、そこから2割か3割を開発チームに上納するという業務形態。

国土安全保障省のアレハンドロ・マヨルカス長官は、ランサムウェアによる攻撃はこの一年間で3倍に増えているという。2020年の被害総額は3億5千万ドル。北朝鮮が独自に開発したランサムウェアも発見されている。

今年2月、米アップルの自動運転車を製造するとの報道があった韓国の自動車メーカー「KIA（起亜自動車）」が2千万ドル（約22億円）、3月には、台湾のパソコン・メーカー、「Acer（エイサー）」が身代金5千万ドル（約54億円）をランサムウェアで要求された。

エイサーを脅迫したREvil（Rイーヴル）は今年4月には、米アップルを「身代金を払わなければ未発表の新製品情報を流出させる」と脅迫した。米アップルなどは身代金の支払いに応じていないようだが、IT系以外の会社ではパニックを起こして払ってしまったところも多い。

フロリダ州レイクシティ市は2019年6月、市の全システムをハッキングした脅迫者に50万ドルの身代金を支払った。

その翌月、マサチューセッツ州ニューベッドフォード市のシステムがランサムウェアで暗号化されてロックされ、それを解除する身代金530万ドルのビットコインを要求された。だが、ジョン・ミッチェル市長は大胆にも「レイクシティ市の身代金が50万ドルだったんだから、あっちより小さいうちの市なら40万ドルでしょ」と身代金を値切りした。その交渉も公開しながら。犯人たちはディスカウントを拒否。でも、市長はITチームに暗号化されたすべてのファイルを見事にバックアップから復元させた。

☆ サイバー戦争の最前線 ☆

パイプラインの件で、ダークサイドは堂々と犯行声明を出した。

「僕たちは政治に関心はありません。目的はお金儲けで、社会に問題を引き起こすことではありません」

え？

「これから社会に影響を与えないようにするため、クライアントがどんな企業を標的とするのか事前にチェックします」

うーん、ダークサイド自体は名前ほど凶悪ではないようだ。人の命にかかわる医療機関や、子どもの教育機関、慈善団体などの非営利団体、市民の生活に関わる政府などは攻撃しないルールがあるという。

ブルームバーグの報道によると、結局、コロニアル社は500万ドル（約5億4700万円）近くの身代金を支払ったが、渡されたツールではシステムを再開できず、自力で修復するしかなかったという。

いっぽうREvilは本当にイーヴル（邪悪）で、400以上の病院や開業医に対してランサムウェア攻撃をしかけ、顧客情報を人質に金を要求している。たとえば美容整形外科をハックして「患者の手術前写真を公開するぞ」と脅すのだ。それ、芸能プロにやったほうがよくない？

その後、事態はさらに急展開。5月14日、ダークサイドが活動停止を表明した。彼らが使っているサーバーが凍結され、情報交換や宣伝、取引に使っている掲示板にアクセスできなくなった。ダークサイドが脅し取った仮想通貨も、何者かによって横取りされたという。

誰がそれをしたのか。アメリカ政府のサイバー犯罪対策班、第780軍事情報旅団とのこと。ダークサイドも、これ以上は危険だと感じたのだろう、脅迫中の企業に対しても身代金を取らずに暗号を解くツールを伝え、ネットから消え失せた。

これがサイバー戦争の最前線か。タキシードを着て拳銃を撃ちまくる007はもうほんとに時代遅れなんだね。

今も勝利を信じ続けるトランプ支持者はもはやカルト

2021年6月10日号

去年の大統領選挙の投票用紙の監査がアリゾナ州で行われている。

え？　まだやってるの？　去年トランプがあれほど「不正だ」「不正だ」と騒いだから、各地で再集計が行われたが、一つも不正が出てこなかったのに？

アリゾナ州議会の上院議長カレン・ファン（共和党）が要請したもので、州内で最も人口の多いマリコパ郡の210万票のチェックを行うことになったのだ。

その監査を請け負った会社はサイバー・ニンジャ。中学生が3秒で思いついたような社名に驚くが、ネットで調べても、投票の監査どころか過去の業務経歴がまるで出てこない謎の会社。まるでアベノマスクを請け負ったユースビオみたいだ。

サイバー・ニンジャのCEO、ダグ・ローガンは、「トランプの票が民主党のバイデンに盗まれた」とする「ストップ・ザ・スティール」という運動のリーダーだったことしかわからない。

そんな陰謀論者に投票用紙の監査なんかさせていいの？

案の定、珍妙極まりない監査が始まった。

サイバー・ニンジャたちは、投票用紙に紫外線ライトを当てて目をこらした。本物の投票用紙には秘密の透かしが入っているはずだと言うのだ。そして「どこにも透かしがない！」と騒ぎ始めた。これには投票用紙を作った州の選挙管理委員会が「そんな透かしは最初からありません」と説得するしかなかった。

さらにサイバー・ニンジャたちは投票用紙を顕微鏡で眺めた。「竹の繊維を探してるんだ」という。「4万のバイデン票が中国で捏造され、アリゾナに空輸されて、トランプ票と入れ替えられた。中国では竹を紙の材料に使っているから、バイデン票には竹の繊維があるはずだ」という陰謀論がトランプ支持者の間で信じられている。

……確かに中国では竹を使ってるけど、いったん粉々のパルプにするから、顕微鏡でも竹の繊維が見えるわけがない。そもそもなんで中国がそんなことする？　トランプは「バイデンが大統領になったらアメリカは中国に乗っ取られるぞ」と叫んでいたが、大統領に就任したバイデンは、中国のウイグル族弾圧に激しく抗議し、世界経済の中国依存を断ち切るため、サプライチェーンの非中国化を進め、台湾を支持し、日本や韓国など同盟国にも中国への断固たる態度を求めている。

それに、それが本当なら入れ替えられた4万のトランプ票はどこに行ったの？

「陰謀論者たちは、民主党がトランプ票をシュレッダーにかけてニワトリに食わせたと信じてるんですよ」アリゾナ州の選挙担当官スティーヴン・リッチャーはCNNに出演して、あきれ顔で言った。

「で、そのニワトリを焼き殺して証拠を隠滅したというんですよ」

いや、それなら最初から投票用紙を焼いた方が早くない？

「アリゾナはアメリカ中の笑いものですよ！」

トランプはこのバカバカしい監査を全米に広げようとしている。2回も票を数え直して何も不正が出てこなかったジョージア州などに。

これに何の意味があるのか？

CNNによると共和党支持者の6割が今も選挙の本当の勝者はトランプで、バイデンは不正で大統領になったと信じている。そう信じるトランプ支持者たちは議会によるバイデン勝利承認を阻止するために1月6日に議会に乱入した。それを正当化するためにも、トランプは選挙は不正という嘘をがなり立て続けないとならない。

☆ 共和党は〝トランプ党〟 ☆

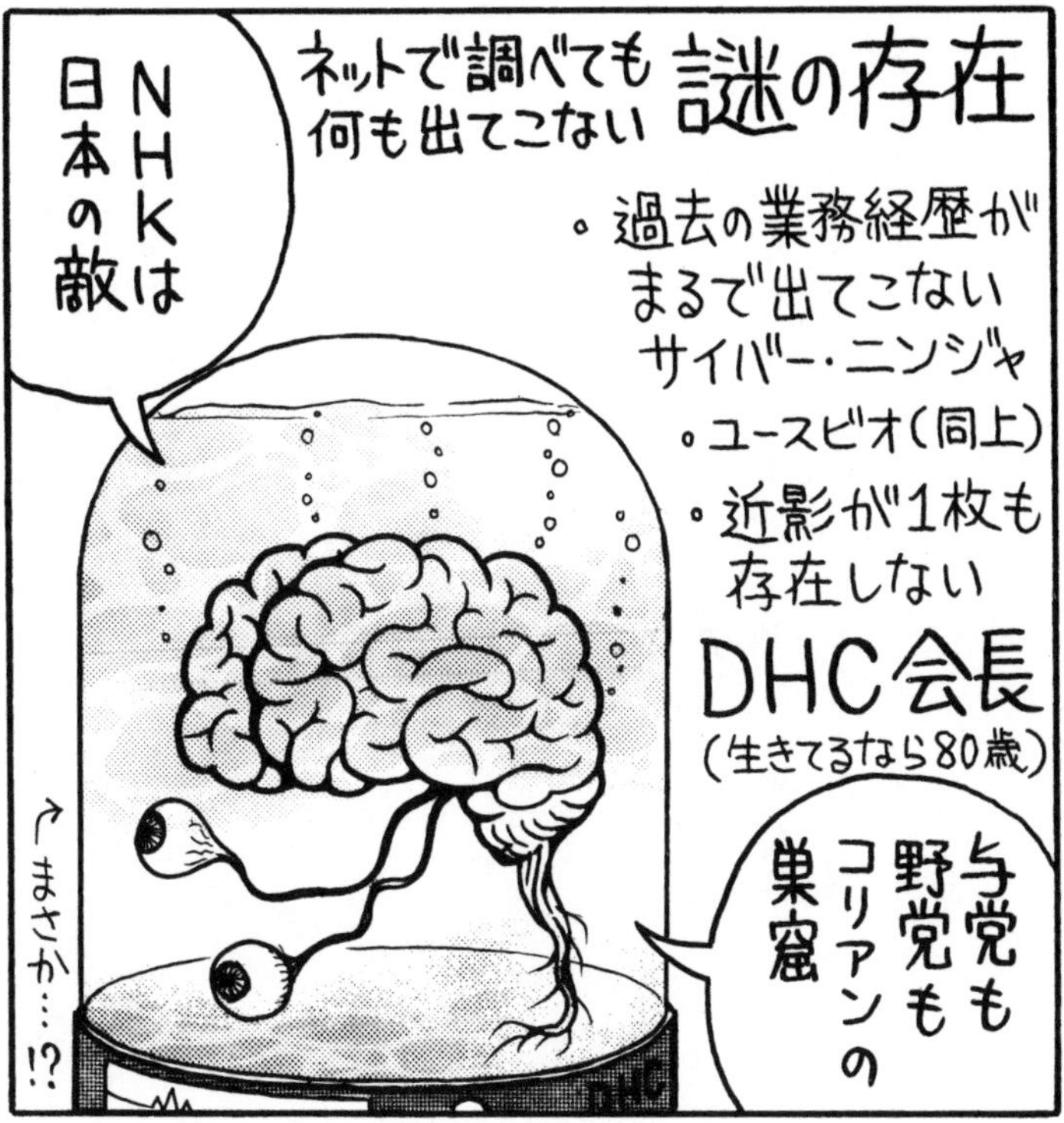

「選挙不正なんてトランプの大嘘です」

共和党の下院議員で党内ナンバー3の地位にあるリズ・チェイニーはそう言って、議会乱入を扇動したトランプの弾劾に賛成したが、反乱分子とみなされ、党員の投票でナンバー3の座から引きずり降ろされた。しかたがない。共和党支持者の6割がトランプを支持している状況では、トランプを批判したら党内の予備選に勝てない。なにしろ共和党最大の集票力と集金力を持ってるんだから。

「共和党はトランプ個人崇拝のカルトと化しました！」とチェイニーは憤慨し、彼女に賛同する数少ない共和党員であるイリノイ州のアダム・キンジンガー下院議員もNBCニュースで、トランプの個人崇拝は「ちょっと北朝鮮だね」と肩をすくめた。「政策よりも、彼に忠実かどうかが大事なんだ」「わかってないわね！」キンジンガー議員にツイッターで嚙みついたのは陰謀論ブロガーから下院議員になったマージョリー・テイラー・グリーン。「大事なのはトランプ命かどうかよ！」

それ、反論じゃなくて、認めてるじゃん。

民主党が発案した議会乱入事件を調査する独立委員会設立についても共和党は猛反対。もちろんトランプの責任を追及したくないから。下院のケヴィン・マッカーシー院内総務も「政治的暴力は他にある」という理由で調査に反対。彼は乱入の瞬間、トランプに電話して「暴徒を止めてください！」と懇願して「無理だよ、彼らは怒ってるからね」と断られたのに。

アンドリュー・クライド議員は「議会乱入といっても彼らは普通の見学者みたいだった」と擁護。見学で5人も死ぬかね？　それにクライド自身も事件当時の写真を見ると必死の形相でドアを押さえて暴徒の乱入を防いでたのに。

調査委員会法案は民主党が多数を占める下院は通過したが、上院で共和党にブロックされると予想される。共和党院内総務ミッチ・マコネルは「議会乱入はトランプの責任だ」と言いながらも逆らえない苦しい立場。共和党はとりあえず2022年の中間選挙までトランプ党状態が続きそうだ。

世界の終末を信じて配偶者と我が子を殺した馬鹿ップル逮捕

2021年6月17日号

5月25日、「ドゥームズデイ・カップル」と呼ばれた作家チャド・デイベル（52歳）とその妻ロリ（47歳）が起訴された。ロリの二人の連れ子タイリー（17歳）とJJ（7歳）の殺人罪である。

二人は既婚者だったが、「ドゥームズデイ（終末の日）」がもうすぐ来る、そのために神に選ばれたカップルだと信じて、それぞれの配偶者を殺し、子どもを殺して結婚した。

ロリ・コックス（旧姓）は1973年、モルモン教の家庭に生まれ、高校ではチアリーダーで、卒業後は美容師となり、3度の結婚を経て、長女タイリーを連れて、2006年、アリゾナに住むチャールズ・ヴァロウと4度目の結婚をした。２０１４年、ロリとチャールズ夫妻は、チャールズの妹の孫ＪＪを養子に迎えた。ＪＪは自閉症スペクトラムだったが、10歳年上のタイリーが本当の弟のように可愛がり、家族は仲良く暮らしていた。

だが、２０１５年、ロリがチャド・デイベル著の『聖地に立つ』という小説シリーズを読み始めてから、すべてが変わった。それはモルモン教徒のためのＳＦ小説で、アメリカ政府が神の道を外れて崩壊し、ロシアや中国の軍に侵略され、エンド・オブ・タイム（この世の終わり）がやってくるが、正しいモルモン教徒たちは新しいエルサレムを建設し、セカンド・カミング（キリストの再臨）を迎える、という物語。デイベルはこうした本を25冊も自費出版し、カルト的人気を集めていた。

２０１８年、ロリはデイベルが主催する「プレピアリング・ピープル（備える人々）」という集会に参加した。講演したデイベルは、エンド・オブ・タイムは近い、そのために備えよ、と唱えた。具体的には自宅の地下室やガレージに少なくとも2年分の燃料、水、食料、トイレットペーパー、それに武器弾薬を備蓄しろというのだ。

その集会でデイベルはロリにこう言った。自分は今まで何度も転生してきた。地球に生まれた時もあるが、他の惑星だった時もある。いずれにせよ、闇の力と戦う光の戦士だった。そして自分とロリは７つの前世で夫婦だった。二人は永遠のカップルだ――。

２０１９年1月31日、ロリの夫ヴァロウが家に帰ると、妻も子も誰もいなかった。ロリは電話で夫に子

狂気…
配偶者と子供を殺し、ハワイで挙式したチャド＆ロリ

どもを連れて家を出たと伝え「私は生まれ変わった。あなたを殺す」と脅迫した。自分はジョセフ・スミスの妻の生まれ変わりだとも言った。ジョセフ・スミスはモルモン教の教祖で、最大で40人の妻を持っていたという。

二人は半年ほど子どもの養育権を巡って争っていたが、7月11日、夫が自宅で射殺された。犯人はロリの兄アレックス。彼は義弟が妹を虐待したと信じて口論になり、ヴァロウが野球のバットを振り回したので、拳銃で3発撃って正当防衛で殺したと供述した。アレックスは妹ロリに献身的で、彼女の3人目の夫もテイザー（電撃銃）で襲撃した過去がある。

アリゾナの警察はアレックスの正当防

衛を認めて釈放したが、夫が殺された日、現場を訪れたロリが警察の質問に答えるビデオが残っている。彼女はうれしそうに笑っている。

夫の死後、ロリはタイリーとＪＪを連れてアイダホ州レックスバーグ市に引っ越した。住民の7割がモルモン教の町で、チャド・デイベルもそこに住んでいる。

9月、ＪＪの祖父母が孫との連絡が取れなくなる。同じ頃、レックスバーグの学校には退学届が出されていた。その後もタイリーとＪＪの姿はどこでも二度と目撃されなくなる。ロリも行方不明となり、祖父母は捜索願いを出すことになる。

☆　悪に乗っ取られて……　☆

10月19日、チャド・デイベルの妻タミーが死亡した。タミーはデイベルの出版社の共同経営者で、二人の間には5人の子どもがいた。デイベルによれば、朝、目覚めたら妻が死んでいたというのだ。何も外傷がなかった。現在では、おそらく枕で窒息させたのではないかと推測されているが、事件当時、レックスバーグ警察は「自然死」と認定し、検死解剖しなかった。

というのも、その時点では警察は、ロリとデイベルの関係を知らなかったのだ。

タイリーとＪＪを探していた警察は、防犯カメラの映像でロリの兄アレックスがロリの家に出入りする姿を発見した。彼がなにか協力していたらしい。だが、すでに遅かった。12月12日、彼は自宅で変死した。

脳血栓だと診断されたが、それまでは健康だった。手がかりを失ったレックスバーグ警察は12月24日、タイリーとJJの捜査を公開し、ロリを参考人として手配した。

年明けて2020年1月、ハワイの空港に現れたロリをテレビ局が見つけた。彼女の傍らにはチャド・デイベルがいた。二人はハワイで結婚式を挙げた。ロリの夫の死後半年、デイベルの妻の死から3カ月後。まず、ロリが逮捕され、続いてデイベルが逮捕された。6月、デイベルの家の庭から、タイリーとJJの遺体が発掘された。犯行の動機について、二人は神に選ばれたカップルとして来たるべき終末に備えていた、と答えた。実の娘たちを殺したのは、彼らが悪に乗っ取られてゾンビになったからだという。おそらく17歳のタイリーは母たちの異常な計画に反抗したのではないか。

終末の日はデイベルによると2020年7月22日だという。

その日、何も起こらなかった。

デイベルは死刑になるかもしれない。でも、きっと転生を信じて安らかに死ぬだろう。そうでなきゃ、何もかも口から出まかせだったことになるからね。

トランス女性アスリート規制法案が南部で広がる

2021年6月24日号

ホントにやるの？　という感じの東京オリンピックだが、アメリカで女子400メートル障害の予選に挑んでいるシーシー・テルファー選手（26歳）が注目を集めている。選手に選ばれるには56・5秒を切る必要があるが、彼女のベストタイムは57・5秒。だが、その1秒の壁以上に高く立ちはだかっているものがある。

テルファーはトランス女性、つまり男性として生まれて性転換した女性なのだ。

オリンピックにはまだトランスジェンダーの選手が出場したことはない。1976年のモントリオール・オリンピックのデカスロン（陸上十種競技）で金メダルを獲ったブルース・ジェンナーが2015年に女性になったことはあったが。

大学生の時、テルファーはNCAA（全米大学スポーツ協会）の承認は受けている。IOC（国際オリンピック委員会）はトランス女性についての基準を発表しているが、問題になるのは公平性だ。一般に男性のほうが筋肉量が多く、歩幅も広くて有利だと考えられる。特にテルファーは身長187センチもあり、ハードルを簡単にまたげる。テルファー自身は「空気抵抗が大きくて不利」と言っている。

かつてオリンピックにはセックス・チェック（性別検査）があった。1968年のグルノーブル冬季五輪で初めて実施されることになり、日本では『セックス・チェック 第二の性』という映画も作られた。女子100メートル走の選手（大楠道代）が性別検査で「半陰陽」の疑いが出たため、女性ホルモンを出すためにコーチ（緒形拳）とセックスに励む、という話。性別検査は1996年のアトランタ五輪まで続いたが、倫理的に問題とされ、今は行われていない。

トランス女性の競技参加権は、アメリカで国家的な問題になっている。今年に入ってからアメリカの30州以上で、「女子スポーツ公正法」という名で、トランス女性が女子としてスポーツ競技に出場することを禁じる州法が議会に提出されたのだ。

その理由は政権が交代したから。トランプ前大統領はシーシー・テルファーが女子として競技に出ることについても「女性選手にとって許しがたい不正義だ」とコメントした。ところが、今年就任したバイデン大統領は公約通り、LGBTに対する差別を禁じる「平等法」を議会に提出し、民主党が多数を占める下院を通過した。民主と共和が拮抗している上院を「平等法」が通過するかどうか難しいが、とにかく保守的な州では駆け込み的に反トランス法の立法を急いだわけだ。

「女子スポーツ公正法」はアーカンソー、テネシー、ミシシッピ、それにフロリダではすでに州知事が法案に署名して施行されようとしている。いちばん最初にこの法案が署名されたのはアイダホ州（2020年3月）。だが、4月に憲法違反として訴えられ、現在、実施が差し止められている。

訴えたのは、リンゼイ・ヘコックス（20歳）。ボイシ州立大学でクロスカントリー選手を目指している。彼女の訴訟を無償で支援するのは人権弁護士団体ACLU（アメリカ自由人権協会）。NCAAも公開書簡で「トランスのスポーツ参加を規制する立法は、科学的根拠に基づかず、偏見と恐れによるものです」と反対した。

だが、アイダホ州立大学の女子陸上選手マディソン・ケニヨン（19歳）とチェルシー・ミッチェル（18歳）は、逆に「公正法」の施行を求めて訴えた。ミッチェルは陸上競技でのいくつかの州記録をトランス女性に奪われたという。

自らもトランス女性の陸上選手で、ホルモンとスポーツの研究家であるジョアナ・ハーパーは「スポーツ競技について政治が介入するべきではない」と主張している。「競技運営団体がガイドラインを設けて規制するべきです」

LGBTは種の保存に背く
リオ五輪の時点で50人以上の選手がLGBTを公表してるのに
オリンピック直前にこんな発言をする政治家がいる国…
差別なのはもちろん政治家として無能すぎる
体は男だけど女子トイレに入れろとかねェ
こっちはカルトだし…

☆　想定外の事態に発展　☆

ガイドラインは州や団体によって違う。NCAAは、一年間の女性ホルモン投与を条件にトランス女性が女子競技に出場することを許している。

「女性ホルモンで筋肉量が落ち、スタミナも減りました」というシーシー・テルファーは代表に選抜されるための記録が出せなかった。

「私自身はチームに選ばれなくてもかまいません。公正法との戦いでトランス・アスリートたちに道を拓きたいんです」

さて、女子スポーツ公正法は、男性から性転換したトランス女性の女子スポーツ競技参加だけ規制しているが、その逆はどうか。

　保守的なテキサスでは性転換した性での競技参加を禁止している。そのため、高校の女子レスリングで「男子」がチャンピオンになる事態が起こった。

　マック・ベッグス（当時17歳）は、高校に入ってから男性ホルモンの投与を受け、口ひげも生え、ガールフレンドもいる「男」になった。そしてレスリングでは男子リーグ出場を希望したが許されず、女子に混じって出場し、圧倒的な強さでチャンピオンになった。

「男性ホルモン投与されてるんだからドーピングじゃないか」全米で論争が湧き上がった。想定外の事態に高校レスリング協会は対応できないまま、ベッグス選手は連戦連勝で高校を卒業、大学に進学して男子部でレスリングしようとしているが、今は性転換手術を受けるため、休場中。

　シーシー・テルファーは2017年まで男子陸上選手だったが、ある日、コーチに自分は女性だと告白したという。怒鳴られることを覚悟していたが、コーチは「ようやく言ってくれたね」と答えた。彼は知っていたのだ。それを聞いてテルファーは泣き崩れた。コーチは「これからは女性として頑張ればいいさ」と微笑んだ。「自分自身としてね」
★テルファーはテストステロン基準を通過できずに五輪に出場できなかった。

アマゾンCEO宇宙に行く税金を払わずに

2021年7月1日号

アマゾンのCEOジェフ・ベゾスが7月20日、宇宙に行く。ベゾスは自分で立ち上げた宇宙開発会社ブルー・オリジンのロケット「ニュー・シェパード」に乗ってテキサスから打ち上げられる。かなまら様（金山神社）のご神体を思わせる機体は3分かけて上昇し、高度100キロのカーマン・ラインを越える。そこから先が宇宙空間、ということになっている。

そこでベゾスはベルトを外し、3分間の無重力状態を楽しむ。ちなみに宇宙服は着ない。そしてまた3分間かけて地上に戻る。この約10分間の宇宙飛行のチケット代は2800万ドル（約30億7千万円）で落札された。

世界一の大富豪ベゾスの総資産は2千億ドルを超えた。離婚して元妻に350億ドル（約4兆円）の慰謝料を払ったが、蚊に刺されたようなものだろう。さっそく新しい彼女との新居としてロサンジェルスに180億円の豪邸を買い、550億円のヨットも買った。アマゾンは、パンデミックで世界中の小売店が閉鎖された2020年、213億3100万ドルという史上最大の利益を上げた。その勢いでハリウッドの映画会社MGMを買収した。MGMが所有する007、ジェームズ・ボンド・シリーズは次からアマゾンの製作になるわけだ。

でも、ベゾス自身は007よりも悪役のほうに近い。税金をロクに払っていないからだ。

ベゾスをはじめアメリカの大富豪トップ25人の納税記録が暴露された。非営利の報道機関プロパブリカがネットで公表したのだ。

ベゾスの他に暴露されたのは電気自動車テスラのCEOで、やっぱり宇宙に行こうとしているイーロン・マスク（総資産1523億ドル）、投資家のウォーレン・バフェット（1092億ドル）、投資メディア「ブルームバーグ」のマイケル・ブルームバーグ（590億ドル）など。

彼ら25人の資産は2014年から18年の5年間で合計4010億ドル（約43兆円）増えたが、払った連邦所得税は136億ドルしかなかった。つまり、たった3・39％。アメリカの庶民は平均で所得の14％を税金で取られているのに！

それどころかベゾスは2007年と2011年には1ドルも所得税を払ってない。2011年には子ど

もの扶養控除を4千ドルも受けている！

なぜ、そんなバカげたことに？

ベゾスのような大富豪は、資産（株や不動産）の価値が上がることで資産が増えるが、所得税は所得に対してしか課されないからだ。つまり一生懸命働いて稼ぐと所得税をごっそり取られる（最大で37％）。でも、資産が勝手に増える分には無税だ。

もちろん、株や不動産を売って現金にすれば当然、税金は取られる。だが、それはキャピタルゲインと呼ばれ、最高税率は20％。やはり汗水たらして稼いだ所得への税率よりも低い。

ベゾスの資産のほとんどは自分が創立したアマゾンの株だが、その株価はここ

10年間で25倍に増えている。株や不動産を持つ者は何もしなくてもどんどん豊かになって税金も払わず、資産を持たない者は働けば働くほど税金を取られる。

それだけじゃない。資産がある者は、それを現金化して税金20％を取られるよりも、資産を担保にして銀行から金を借りて利子を払った方が安くつく。ゼロ金利時代だから。借入金が収入を上回れば、所得税も払わないでいい！

この納税記録を暴露したプロパブリカは、大富豪たちの所得ではなく、増えた資産に対する納税額の比率を、トゥルー・タックス・レイト（本当の納税率）として算出した。イーロン・マスクは3・27％、ブルームバーグは1・3％、そしてベゾスはたった0・98％にすぎなかった。タダも同然じゃん！

アマゾンという会社もまともに法人税を払ってこなかった。2017年と2018年、トランプ大統領の減税法を利用して、アマゾンは税金を払うどころか、赤字申告で還付を受けている。

☆ 富裕税を実施して、格差を縮めるべき ☆

こうして大企業と大富豪がロクに税金を払わずに金をため込んでいった結果、アメリカのトップ1％の超富裕層が国全体の富の35％を占有する超格差社会になってしまった。

かつてはそんなことはなかった。1960年代までは富裕層の所得税率は91％だったのだ。しかし、80年代のレーガン政権が富裕層への減税を始め、大富豪トランプが政権を取って税率を37％まで下げた。

バイデン大統領はここまで悪化した格差を是正するため、所得税の最高税率を39・6％に上げると公約している。トップ0・1％の超リッチは今よりも平均で160万ドル多めに払うことになる。でも、それじゃベゾスの新居代にも満たない。所得税率を昔のように91％に戻したところで、奴らはあの手この手で税金を逃れようとするだろう。

もはや所得ではなく、資産に課税するしかない。富裕税だ。

2020年の大統領選挙で民主党の予備選に出たバーニー・サンダースとエリザベス・ウォーレンは大富豪の資産そのものに課税する「富裕税」を提案した。たとえば資産10億ドル以上のビリオネアは全米に724人、全世界では2755人でその総資産の合計は13・1兆ドルといわれる。6％課税するだけで7860億ドルの税収。今こそ富裕税を実施して、富を再分配して格差を縮めるべきでは？

「金持ちが何か悪いことしたか？」と、富裕税に反発したのはヘッジファンドの大物でビリオネアのレオン・クーパーマン。彼は「富裕税はアメリカン・ドリームに対する攻撃だ！」と言った。

アメリカン・ドリームとは誰もが努力すれば豊かになれることであって、金持ちがもっと金持ちになるのは貴族社会だ。世界には1日200円未満で暮らす人々が7億人もいる。ベゾスのヨット代だけでどれだけの子どもたちが死なずに済むのか。

トランプは知らなかった黒人奴隷解放記念日が国民の祝日に

2021年7月8日号

6月17日、バイデン大統領が、6月19日を国民の祝日「ジューンティーンス」に制定する法案に署名した。

ジューンティーンスはジューン・ナインティーンス（6月19日）の略。1865年のこの日、最後まで奴隷制度を続けていたテキサスに奴隷解放が伝えられた。リンカーン大統領が1863年に奴隷解放宣言をしてから2年後、南北戦争で南軍が降伏してから2カ月後だった。テキサスの白人たちは当時、黒人に奴隷制度は終わったことを隠していた。綿花の収穫時期である秋まで働かせたかったからだ。しかし、6月19日、テキサスの司令官に就任した陸軍のゴードン・グレンジャー将軍が軍艦でテキサスの港町、ガルベストン市に着き、住民に向かって「一般命令第3号」を読み上げた。

「合衆国大統領からの布告により、あらゆる奴隷は自由である、とテキサス人民に告知する。これより、主人と奴隷は対等になり、雇用者と被雇用労働者の関係になる」

グレンジャーと共にテキサスに上陸した兵士には、南部から脱走した元奴隷も大勢いた。彼らは走り回って奴隷農園に駆け込み、奴隷解放を伝えた。

それを覚えていた少女がいた。ガルベストンから100マイル離れたベルヴィルの農園で1855年に奴隷として生まれたローラ・スモーリーさんは、86歳になった1941年、10歳の頃、解放されたと知った日のことをジャーナリストに語り、その録音が残っている。

「ご主人様は言わなかったね。私たちが自由になったって。6月19日にやっと知ったんだ。だからお祝いしたんだよ」

ジューンティーンスを国民の祝日にしようという運動は昔からあったが、黒人の間でもそれほど知られていなかった。メディアで大きく取り上げられたのは2016年、当時89歳の女性オパル・リーさんがオバマ大統領にジューンティーンスの祝日化を求めて、テキサスから首都ワシントンまで1400マイルを踏破してからだ。

その翌2017年、ジューンティーンスがテレビドラマになった。黒人一家のホームコメディ『ブラッキッシュ』が一話まるごと使って「ジューンティーンスを祝日に」と訴えた。

我が子が学芸会でコロンブスの劇を演じるのを見た父親アンドレは激怒する。「コロンブスは死ぬまでアメリカをインドだと思ってたし、先住民を奴隷にしたクソ白人だぞ！」

アンドレは勤め先の広告代理店でジューンティーンスを芝居にすべきだと提案し、ミュージカルを想像する。奴隷たちが解放の喜びを歌う。

「私たちは自由だ」

「もう主人の命令に従わなくていい」

「選挙にも参加できる」

「レストランで食事もできる」

☆奴隷制度と人種差別の上に築かれた繁栄☆

だが、南部では投票に行く黒人はＫＫＫによってリンチされた。また、州法で黒人の投票や、異人種間の結婚を禁じ、レストランなど公共の場所を黒人用と白人用に分ける人種隔離を、ジューンティーンスの後も１００年近く続けた。

「白人女性に口笛吹いてもいい」

１９５５年、当時14歳のエメット・ティル少年は、南部ミシシッピで白人女性に口笛を吹いた、と言われてリンチされ、殺された。

ハッピー
ジューンティーンス！
ヴィオラ・デイヴィス
（通常運転）
オバマ
孫世代に
よりよい世界を！

「消防車のホースで水をかけられない」

　1960年代、人種隔離撤廃や選挙権を求めた黒人デモ隊は消防車の放水で蹴散らされ、犬をけしかけられ、騎馬警官に警棒で殴られた。

「郊外の住宅地に家を買おう」

　黒人が融資を受けたり、白人の多い住宅地に家を買うのは難しい。差別は禁じられているが、今も人種的なバイアスは完全に消えていない。

「身分証明書もいらない」

　現在、テキサスなど南部各州が写真付き身分証明書のない黒人の投票を禁じている。

　アンドレのジューンティーンス祝日化と劇のアイデアを聞かされた白人の同僚

や上司は「居心地悪いな」と肩をすくめる。

実際、今回のジューンティーンス祝日化にも14人の共和党議員が反対票を投じた。ジューンティーンスの地元テキサス州選出のチップ・ロイ議員は「こうした祝日は人種同士の分断を煽るだけだ」と批判した。

そのテキサス州では、祝日化される前々日に、人種問題について学校で教えることを禁止する州法に州知事が署名した。州議会は白人の共和党員に多数支配されているからだ。

その州法の背景には反CRT（Critical Race Theory 批判的人種理論）運動がある。CRTとは、アメリカの白人たちの繁栄は、先住民から土地を奪い、黒人奴隷制度や人種差別の上に築かれたものだ、という歴史観のこと。こうした過去への反省は1960年代のカウンターカルチャーのなかで生まれたリベラルな考えだが、保守派は、CRTは白人の子どもたちに罪悪感を植え付け、白人への憎しみを育てるだけだと批判し続けてきた。『ブラッキッシュ』でも、まさにCRTな歌が歌われる。

「俺たち黒人はタダ働きでアメリカを築いた」

「鉄道も敷いた」

「ホワイトハウスも建てた」

大国アメリカの経済的基盤は黒人の奴隷労働によって支えられていた。

「その分、賠償もらわなきゃ」

「40エイカーの土地とラバ」

それは南北戦争時に北軍政府が奴隷一人ひとりに約束した補償だ。でも、結局支払われなかった。奴隷たちは解放されたが無一文だった。それが人種的な経済格差の根底にある。

ちなみにジューンティーンスを知らなかったトランプ前大統領はＣＲＴ教育を禁じる大統領令を発布した。バイデン大統領は就任した直後にそれを取り消した。

25歳で年収17億円カリスマYouTuberの過ぎた悪フザケ

2021年7月15日号

「象の歯磨き粉」というのは化学の実験の名前。過酸化水素水、いわゆるオキシドールに、洗剤やパンを焼くのに使うドライイーストを混ぜると、大量の酸素の泡が爆発的に発生する。巨大なチューブ歯磨きが絞り出されたようになるので、そう呼ばれる。

スプーン数杯のオキシドールでも泡はたちまちビーカーからあふれ出すのだが、これをドラム缶くらいの量でやった男がいる。デヴィッド・ドブリックというユーチューバーだ。泡は火山から吹き出した溶岩のように彼の自宅を呑み込もうとする。その動画の視聴数は2千万回を超えた。

今年25歳、子犬のような目と笑顔が

チャーミングな青年ドブリックは、プールに4トンくらいのドライアイスをぶち込んだり、人が飲んでいるコーラにメントスを入れたり（二酸化炭素が爆発的に吹き出す）するおふざけ動画の数々で、合計82億回の視聴数と1800万人のチャンネル登録者を集め、2020年だけで1550万ドル（約17億円）稼いだ若き大富豪だ。

デヴィッド・ドブリックは1996年、スロバキアのコシツェに生まれた。6歳の時、両親と共にアメリカに移民。シカゴ郊外で育ち、2013年、17歳の時、6秒間だけの動画を共有できるVineへの投稿を始めた。車椅子に乗って障害者のふりをしたりするつまらない内容だったが、2017年にVineからYouTubeに移り、現在のようなイタズラ動画になり、チャンネル登録者は増えていった。

19歳になったドブリックは、大学を続けるか、YouTubeで暮らすかで悩み、高校の恩師に相談しにいった。その時、携帯にメールが届いた。エナジードリンクのメーカーが、ドブリックが動画で同社のドリンクを飲めば5千ドル出すというのだ。恩師は言った。

「大学出てもドリンク飲むだけで5千ドルも稼げないよ」

ドブリックは大学を中退してユーチューバーとして生きるためロサンジェルスに引っ越した。そして、幼馴染みや高校の同級生、Vineの投稿仲間たちを呼び寄せてThe Vlog Squad（ヴログ部隊）を結成、4分半のイタズラ動画を次々に制作した。

有り余る財力に任せて自動車やテレビを破壊し、豪邸で火炎放射器を振り回す。金でセレブも雇う。たとえば車の助手席に乗せた若い女性に「ジャスティン・ビーバーは好き?」と尋ねる。彼女が「高校の頃は好きだったけどね」と答えると「じゃあ今ではもう嫌い?」そう言いながら後部座席から本物のジャスティン・ビーバーが現れる。また、90年代のTVドラマ『フレンズ』のファンの誕生日には、『フレンズ』のモニカ役だったコートニー・コックスを雇ってサープラーイズ!

視聴数を稼ぐためなら何でもする。恋人リザとの別れもYouTubeで公開し、6千万人が視聴した(リザだけが泣いていた)。その後、彼は単なる冗談で、ヴログ部隊の最年長ジェイソン(当時46歳のコメディアン)の母ロレイン(77歳)と結婚した。ラスヴェガスで本当に結婚してハネムーンでハワイに行った。そして1カ月後に離婚してバツイチになった。

とにかくドブリックは気前がいい。湯水の如く金を使いまくる。フェラーリだのテスラだの高級車をヴログ部隊の仲間に片っ端からプレゼントして驚かす。2020年の大統領選挙前には、投票登録した人の中から抽選で5人に440万円のテスラT3をプレゼントするキャンペーンをした。テスラ目当てで30万人が投票登録したという。

ドブリックは今や、ロサンジェルスの高級住宅地に10億円の豪邸を持ち、2800万円のフェラーリ458を乗り回し、400万円でジェット機をチャーターしてフロリダに遊びに行き、ピザ・チェーンも経営する実業家になった。高校を出てからたった6年で。

そして、つまずいた。

☆ 人の命をもてあそぶ動画 ☆

YouTubeで、ヴログ部隊の一員で幼馴染みのドゥアルテ・ドムと2人の女性を一つの寝室に入れて、ドブリックが「3Pだな」と笑う動画を投稿したら、その女性が「ドムにレイプされた」と訴えたのだ。ドブリックはドムをクビにしたが、「寝室で何が行われたか僕は知らない」と釈明し、「無責任だ」と炎上した。

さらにドブリックは人を殺しそうになった。ユタ州の湖でレンタルした土木工事用のパワーショベルを自ら操縦し、そのショベルの先につけたロープで、ヴログ部隊の一人ジェフ・ウィテック（31

歳）を振り回した。ジェフはパワーショベルの車体に頭から叩きつけられ、重傷を負った。

イタズラのため、視聴数のため、人の命をもてあそぶなんて。この一連の事件でドブリックのYouTubeチャンネルの登録数は40万人減った。「ドブリックはもう終わりだ」という声もある。

脳に重いダメージを受けたジェフはドブリックを訴えないという。彼はヴログ部隊に呼ばれるまで理髪師だったが、ヴログ部隊に入って年収は10倍以上になった。彼のパトレオン（アーティストやパフォーマーに寄付を送るプラットフォーム）に集まった寄付だけで24万ドルだ。「莫大な金の力で君臨するドブリックはカルトの教祖と同じだ」かつてのヴログ部隊のメンバーはそう批判する。

ドブリックは新しくない。2005年にYouTubeが生まれる前、『ジャッカス（間抜け）』というTV番組があった。売れない俳優やコメディアンたちがドブリックよりもはるかに危険なイタズラをした。自分が餌になって海に飛び込んでサメを釣ろうとしたり、満タンの仮設トイレに入ってそのままクレーンで吊り上げてシェイクしたり。

『ジャッカス』になくてドブリックにあるのは、人懐こい笑顔と金の力。でも、それはセンスでも才能でも、ましてや努力の成果でもないね。

B《ブリトニー》・スピアーズを12年間も奴隷にした成年後見人制度とは？

2021年7月22日号

「Free Britney（ブリトニーを自由に）！」

このスローガンがアメリカ中を飛び交っている。ポップ歌手ブリトニー・スピアーズ（39歳）を成年後見人制度から解放してあげよう、という運動。彼女は2008年から12年間にわたって父親ジェイミーが後見人となり、彼女の財産（銀行口座、クレジットカード、仕事の契約）を管理するだけでなく、連絡や移動、交際など生活のすべてを監視していた。

だが去年、ブリトニーは父親が後見人を務めることからの解放を求めて裁判を起こした。6月に法廷に立った彼女は「私はまるで売春婦です」「私にも自分の人生を生きる権利があります」と訴えた。

2020年だけで60億円稼いだといわれるスーパースターがなぜ、自分で買い物ひとつできない事態になってしまったのか？

ブリトニーは1981年に生まれ、ルイジアナ州ケントウッドという平均世帯年収2万4千ドル、貧困率37・6％の田舎町で育った。父ジェイミーは溶接工に始まり、製油所の労働者、工務店、調理人など職を転々とし、リラクサロンを開いて失敗し、破産した。だが、娘ブリトニーは天才だった。幼い頃から教会で賛美歌を歌い、10歳でテレビに出演。14歳でディズニーの子ども向けバラエティ番組『ミッキーマウス・クラブ』のレギュラーになり、1998年、16歳でCDデビューした。

まだバージンだったブリトニーは、カトリック高校の制服のシャツを結んでおへそを出した衣装を着せられて、過剰にセクシーに売り出された。全米で少女たちがブリトニーのマネをしてへそを出して保守的な親たちを怒らせた。メリーランド州知事ロバート・アーリック（共和党）のケンデル夫人は「許されるならブリトニーを射殺したい」と言った。

20歳になったブリトニーは『ミッキーマウス・クラブ』の仲間だったアイドル歌手、ジャスティン・ティンバーレイクと交際し、パーフェクト・カップルと呼ばれたが破局。タブロイド紙は、ブリトニーの歌のイメージから、彼女が浮気したと決めつけ、Slut（尻軽）のレッテルを貼った。

そのへんからマスコミは毎日ブリトニーの私生活を報じるようになる。2004年1月、ブリトニーはラスヴェガスで高校の同級生ジェイソン・アレクサンダーと電撃結婚。55時間後に離婚。その半年後に

15歳で親とは縁を切ったよ！
マコーレー・カルキン
私は14歳
ドリュー・バリモア
デビューが16歳なのよ…

バックダンサーのケヴィン・フェダーラインと婚約。結婚し、翌年、長男ショーンを産んだ。

ブリトニーの家族がどこに行っても何十人ものパパラッチが群がった。いい写真は最高1億円で売れたという。2006年2月、まだ赤ん坊の長男ショーンをひざに乗せたまま車を運転するブリトニーの写真が撮られた。法律で赤ん坊は後部座席に固定したチャイルド・シートに乗せなければいけない。世間は一斉にブリトニーを「バカ親」と糾弾した。

8月、ブリトニーは雑誌「ハーパーズバザー」の表紙を次男の妊娠8カ月のヌードで飾った。ところが次男が生まれて間もない11月にブリトニー夫妻は離婚、息子たちと暮らし続ける夫との親権争いが始まり、独身になったブリトニーを追いかけるパパラッチの自動車は数を増した。

2007年2月、パパラッチの群れに疲れたブリトニーはヘアサロンに飛び込み、自らバリカンをつかんで丸坊主にした。憎しみで目をむいて、傘をつかんでパパラッチの車の助手席をどつく写真も撮られた。

「ブリトニーが失ったものは何でしょう?」

『クイズ100人に聞きました』の元番組『家族争議』ではそんな質問が出された。

「息子の親権」「社会的信用」「髪の毛」「正気」回答者が答えるたびに観客は爆笑した。

☆ 子どもの人生を奪う親 ☆

2008年1月3日、救急隊員がブリトニーの自宅に突入。抵抗する彼女を無理やり担架に縛り付けて救急車に乗せ、精神科病院に閉じ込めた。父ジェイミーが申請した「5150保護」が発動したのだ。これは「精神的障害によって他者または自身を危険にさらす人物は強制的に72時間保護される」という法律。その月末にも再び「5150保護」で彼女は病院に拘禁された。

この間に父ジェイミーは密かにブリトニーの「成年後見人」になる申請をしていた。この制度は本来、認知症になった老人の財産管理のために適用されるものだ。彼が心配だったのは娘の健康よりも金だろう。当時「あの子がこのまま浪費を続けたら、4年で破産するだろう」と語っている。だが、ジェイミー自身が過去に破産しているし、2002年にはアルコール依存症で入院し、ブリトニーの母と離婚している。後見人としてどうだろう。

　ところがブリトニーは父が出した条件を呑んだ。後見人がつくことで息子たちに会うことを許されるからだ。苦渋の決断だった。その後、彼女は12年間、アルバムを出し、ツアーをして黙々と働いた。ラスヴェガスで1年間連続公演をしたギャラは毎週1億円。すべて父親に取られた。

　ブリトニーが今回、沈黙を破ったのは、結婚したいからだ。法廷で彼女は「恋人のサム・アスガリ（27歳）の子どもを生みたいんです」と訴えた。「でも父は私にＩＵＤ（子宮内避妊具）を装着させ、父の許可なしには外せないんです」

「ブリトニーに共感します」ドリュー・バリモア（46歳）はラジオで支援を表明した。彼女も7歳で子役として『E.T.』（82年）で大スターになり、母親にさんざん搾取されて、自殺をはかり、1年半も精神科病院に閉じ込められ、14歳で裁判をして母親の親権からの解放を勝ち取った。

　ブリトニーの人生を奪ったのは父親だけじゃない。彼女のスキャンダルを面白がってネタにした人々すべての罪だ。筆者も含めて。

★ブリトニー・スピアーズの父は8月12日に後見人を辞任する意向を表明した。

町山智浩（まちやま ともひろ）

1962年東京生まれ。早稲田大学法学部卒業。編集者として雑誌『映画秘宝』を創刊した後に渡米。コラムニスト、映画評論家として多数の連載を持つ。WOWOWオンライン「町山智浩の映画塾！」、TBSラジオ「たまむすび」、BS朝日「町山智浩のアメリカの今を知るTV」にレギュラー出演。主な著書に『教科書に載ってないUSA語録』（文春文庫）、『さらば白人国家アメリカ』（講談社）、『トランピストはマスクをしない』（文藝春秋）、『〈映画の見方〉がわかる本　ブレードランナーの未来世紀』（新潮文庫）、『「最前線の映画」を読む vol.3　それでも映画は「格差」を描く』（集英社インターナショナル新書）など多数。

アメリカ人《じん》の4人《にん》に1人《ひとり》はトランプが大統領《だいとうりょう》だと信《しん》じている

2021年10月10日　第1刷発行

著者
町山智浩《まちやまともひろ》

発行者
小田慶郎

発行所
株式会社 文藝春秋
〒102-8008　東京都千代田区紀尾井町3-23
電話 03-3265-1211（代表）

印刷所
凸版印刷

製本所
凸版印刷

定価はカバーに表示してあります。
万一、落丁乱丁の場合は送料当社負担でお取り替えいたします。
小社製作部宛お送り下さい。

ISBN978-4-16-391450-3